法解釈入門

an introduction to legal interpretation

第 2 版

山下純司
島田聡一郎
宍戸常寿

「法的」に考えるための第一歩

有斐閣

第 2 版はしがき

　本書は法学の初学者に法解釈の基本を説明する教科書として，憲法・民法・刑法の 3 人の研究者が協力して執筆しました。初版は 2013 年に出版されましたが，このたび第 2 版を出版することになりました。第 2 版では，第 9 章第 1 節末尾にコラムを追加したほか，第 7 章第 3 節の記述を全面的に書き改めています。

　2018 年に出版された補訂版のはしがきにも記載しましたが，2017 年に民法債権法の分野が大きく改正されました。これまで第 7 章第 3 節にとりあげていた瑕疵担保責任（改正前民法 570 条）の規定がなくなり，契約内容不適合責任についての一連の規定（現行民法 562 条～564 条）が加わりました。これにより，瑕疵担保責任について解釈論を学ぶ意義は，小さくなってしまいました。

　もっとも，法律の条文が改正されたからといって，それまでの法解釈の議論が，すべて意味を失うわけではありません。法解釈の面白さは，先達が行ってきた議論の蓄積が，時代を越えて，別の文脈で活かされるというところにもあると思います。そこで新たな第 7 章第 3 節では，同じ 2017 年改正で条文が大きく変わった錯誤（現行民法 95 条）に関する議論をとりあげることで，そうした面白さの一端を理解してもらおうとしています。

　法解釈の教科書として，民法の大改正という事態にどう対応するかはかなりの悩みどころでしたが，前回の補訂と今回の改版では，有斐閣の佐藤文子氏が適切なスケジュールを提示してくださいました。ありがとうございました。

　また，故島田聡一郎先生の原稿部分については，今回も学習院大学の鎮目征樹先生に目を通していただきました。感謝申し上げます。

　2020 年 11 月

山 下 純 司
宍 戸 常 寿

初版はしがき

　本書は，法学部に進学したばかりの学生，法科大学院未修者といった，法学の初学者を対象に，法解釈の基本について説明した入門書です。憲法・民法・刑法の3人の研究者が協力して執筆しました。

　本書の目的は，法学を学び始めたばかりの人達が抱く「法解釈っていったい何？　どう学んだらよいの？」という問いに，難しくなり過ぎない範囲で答えることです。法学部では，勉強の大半を法律の条文解釈に当てるのが普通ですが，それでいて上記の問いにはなかなか答えてはくれません。初学者はモヤモヤした気分を抱えながら授業に出て，そのうちに何となく法解釈のやり方を覚えていきます。「習うより慣れろ」が法学部の伝統的な勉強の仕方なのです。

　これに対して，本書が目指したのは，「慣れる前にとりあえず習う」ことです。実のところ，「法解釈とは何か？」という問いは法学研究者にとっても正面から答えることは難しい問いなのですが，「実際の法解釈ってこんな点に注意しながらやっているんですよ」ということを示せれば，本書のとりあえずの目的は達せられたことになります。

　本書は3部構成ですが，少し長めのIntroductionがついています。ここで「法の解釈はなぜ必要なのか？」という点を簡単に説明した後，第1部で，法解釈の基本を説明しています。ここが本書の中心部分です。

　第2部は，各科目から2～3のテーマを選んで法解釈の具体例を取り上げています。初学者には多少難しい議論もありますが，第1部で学んだことが実際にどう使われるのかを実感してもらうという観点から，テーマを選んでいます。

　第3部はいわば応用編で，3つのトピックを取り上げて，2つの科目の異なる視点から議論をしています。同じ問題でも，法分野によって異なる分析がなされることを知ってもらうためです。

本書の執筆は，各人が書いた原稿を持ち寄っては，互いに意見を述べ合い修正を繰り返しながら進められました。その過程で，解釈論に対する各科目のスタンスの違いや共通点など，私たち自身にとっても多くの発見がありました。企画が立ち上がってからの約2年の間に繰り返された編集会議は，研究会のように密度の濃いものであり，私たち自身にとっても知的刺激に溢れるものでした。そうした部分が，多少なりとも読者の皆さんに伝われば幸いです。

　残念なことに，共著者の一人である島田聡一郎先生は，原稿完成間近の2013年4月に不慮の事故で急逝されました。島田先生が担当していた原稿は，彼の親友でもあった学習院大学の鎮目征樹先生が丹念に目を通してくださり，遺稿の趣旨を損なわないまま，より完成度の高いものへと仕上げてくださいました。島田先生のご冥福をお祈りすると共に，鎮目先生にはこの場を借りて厚く御礼を申し上げます。

　最後に，従来にない法学入門書を作ろうという意欲的な企画を私達に持ってきてくださった，有斐閣の土肥賢氏，辻南々子氏，栗原真由子氏に，厚く御礼を申し上げます。

　2013年11月

山　下　純　司
宍　戸　常　寿

目　次

Introduction

1　社会あるところに法あり　*1*
　(1)　勉強会を立ち上げよう (1)／(2)　法を定めよう (2)

2　法の適用　*3*
　(1)　法の適用が問題となる場面 (3)／(2)　法的三段論法 (3)／(3)　法の適用と事実の認定 (4)

3　法の解釈　*6*
　(1)　法の適用と法の解釈 (6)／(2)　法を解釈する (7)／(3)　法の解釈の特徴 (8)

4　法の複雑化と法律家　*9*
　(1)　社会と法は複雑になる (9)／(2)　法解釈の専門化 (10)

第1部　法解釈を始めよう

第1章　まずは条文を眺めてみよう ———— *14*

　1　はじめに　*14*
　2　法律・条文を見つける　*14*

3　条文の構造　*16*

　　4　条文の並び方　*18*

　　5　条文を眺めることの重要性　*19*

第2章　条文を解釈しよう ―――――――――――― *21*

　　1　はじめに　*21*

　　2　他の条文も参照しなければならない　*21*

　　3　条文だけではわからない　*22*

　　　(1) 立法者意思(22)／Column コンピュータ／サイバー犯罪と刑法改正(24)／(2) 目的論的解釈(24)／(3) もう一度，条文の文言に(25)

　　4　言葉の文理との関係という観点からの分類　*26*

　　5　この章の終わりに　*27*

第3章　各法分野における法解釈の特徴 ―――――― *29*

第1節　民　　法 ………………………………………*29*

　　1　民法条文は多い？　少ない？　*29*

　　　(1) 民法は条文が多い(29)／(2) 基本的なルールは書かれていない(30)

　　2　類推適用の活用　*30*

　　3　契約解釈との関係　*31*

　　4　民法の解釈は自由というけれど……　*32*

　　　(1) どんな解決でも導けるわけではない(32)／(2) 民事裁判は数ある紛争解決手段の1つにすぎない(33)

第2節　刑　　法 ………………………………………*34*

　　1　法解釈論の中での，刑法解釈の特殊性　*34*

　　2　類推解釈の禁止　*34*

　　3　拡張解釈と縮小解釈　*36*

　　　(1) 処罰を広げる方向での拡張解釈(36)／(2) 縮小解釈(38)

    4 刑法解釈の「体系性」　*38*

        (1) 刑法が「体系的」といわれることの意味 (38)／(2) 解釈で「総則」を作り出している場面が多い (39)

    5 いわゆる「犯罪論の体系」　*40*

    6 この節の終わりに　*46*

  第3節　憲　　法 ……………………………………………………*47*

    1 憲法の条文と内容　*47*

    2 憲法の解釈は難しい　*47*

    3 憲法の解釈は「床屋談義」?　*48*

    4 比較憲法・憲法史とバランス感覚　*49*

第4章　法解釈と利益衡量論 ── *50*

  第1節　紛争解決手段としての法解釈 ……………………………*50*

    1 ここまでのまとめ　*50*

    2 裁判所による法的ルール確定の意味　*51*

    3 正しい法解釈は存在するか?　*52*

  第2節　利益衡量による法解釈 ……………………………………*54*

    1 利益衡量によるルールの確定　*54*

    2 利益衡量による法解釈の例（絶対的構成と相対的構成）　*54*

    3 様々な利益を考慮したルール選択　*56*

    4 説得力のある法解釈を目指そう　*56*

  第3節　事案に即した利益衡量 ……………………………………*58*

    1 もう1つの利益衡量　*58*

    2 解釈論としての「型」　*58*

    3 ルールを尊重する態度　*59*

第5章　解釈の対象となる法 ── *62*

    1 法の存在形式　*62*

2 成文の法源 *62*

3 不文の法源 *63*

4 規範相互の効力・抵触関係 *63*

　Column 規則・条例と法律の関係 (64)

5 法源が法解釈にとって持つ意味 *64*

6 慣　　習 *65*

7 契約（法律行為） *65*

　Column ガイドライン・ソフトロー (66)

第6章　判例・学説の関係 ――― *67*

1 判例とは何か *67*

2 判例との付き合い方 *68*

3 学説の意義 *70*

4 学説との付き合い方 *72*

第2部　各法分野における法解釈の例

第7章　民　　法 ――― *74*

第1節　物権的請求権——体系からルールを導く ……… *74*

1 はじめに *74*

2 物権的請求権とは何か？ *74*

3 物権の対象としての「物」 *75*

4 物権は物の支配権 *75*

5 物権的請求権の根拠 *76*

6　より詳しい物権的請求権の内容について　77
　7　忍容請求権説からの批判　78
　8　行為請求権説の再考　79

第2節　94条2項の類推適用——権利外観法理をめぐる議論…………81
　1　はじめに　81
　2　94条2項の類推適用とは？　81
　3　権利外観法理　82
　4　最高裁平成15年6月13日判決　83
　5　権利外観法理はルールではない　85
　6　権利外観法理における真の権利者の帰責性　86
　7　94条2項が要求する本人の帰責性　88
　　(1)　意思外形対応型（88）／(2)　意思外形非対応型（89）
　8　本人非関与型への拡張　90
　9　不動産取引法として見た94条2項　93

第3節　動機の錯誤——学説と判例にどう向き合うか ………………95
　1　はじめに　95
　2　動機の錯誤とは　96
　　(1)　財産分与契約の錯誤（96）／(2)　95条の条文（97）／(3)　基礎事情の表示とは？（98）
　3　改正前民法95条をめぐる議論　99
　　(1)　要素の錯誤（99）／(2)　動機の表示（100）／(3)　認識可能性（101）
　4　現行民法95条の解釈をめぐる議論　103
　　(1)　過去の学説の蓄積としての現行95条（103）／(2)　法律行為内容化説（104）／(3)　基礎事情の表示をめぐる今後の展望（106）
　5　おわりに　107

第8章 刑　　法 ―――――――――――――― *108*

第1節　財産犯と民事法 …………………………………*108*

1　はじめに――条文から始めよう　*108*

2　どのような考慮から，対立点が生まれるかを理解しよう　*109*

(1) 金銭と所有権 (109) ／(2) 刑法上の規律 (110) ／(3) 反対の解釈をした場合の帰結も考える必要がある (111)

3　民法上の権利関係が不明確な場合　*111*

4　刑法242条における「占有」について　*114*

第2節　過剰防衛――判例の読み方 ………………………*119*

1　はじめに　*119*

2　「量的」過剰防衛とは何か　*119*

(1) 過剰防衛とは何か (119) ／(2) 量的過剰防衛をめぐるこれまでの議論 (120)

3　近時の判例　*122*

(1) 最高裁平成20年6月25日決定 (122) ／(2) 最高裁平成21年2月24日決定 (123) ／(3) 2つの判例を対比してみよう (123) ／(4) (a), (b)は理論的にどのような意味を持っているのか (125) ／(5) 平成21年最高裁決定に対する批判的学説と，その問題意識 (127)

第3節　不真正不作為犯と刑法の解釈 ……………………*130*

1　はじめに　*130*

(1) 刑法解釈の厳格性と柔軟性？ (130) ／(2) 不真正不作為犯とは何か (130)

2　自由な解釈？　*131*

3　不真正不作為犯論をめぐる解釈技法　*131*

(1) 大審院判例理論と「条理」(131) ／(2) 問題点 (133) ／(3) 各論を手がかりとした議論 (133) ／(4) いわゆる「作為との同価値性」をめぐる議論 (135) ／(5) 2つの思考方法とそこから導かれる議論 (135) ／(6) 解釈論としての優劣？ (136)

4　おわりに　*137*

第9章 憲　　法 ——————————————— *139*

第1節　衆議院の解散 ……………………………………………*139*

1　何が問題なのか　*139*

2　憲法の規定はどうなっているのか　*140*

3　学説の状況——制度説と7条説の対立　*142*

4　制度説の弱点は？——比較憲法・憲法史から見てどうか？　*145*

　Column　議院内閣制の本質とは（148）

5　7条説の弱点は？——その解釈を採ったらどうなるのか？　*148*

6　より良い解釈論のために　*152*

　Column　解散権の限界（153）

第2節　人権の限界に関する解釈論の「型」……………………*154*

1　はじめに——人権の解釈論はなぜ「ヘン」なのか？　*154*

2　人権条項はもともと政治的・道徳的　*155*

3　裁判規範になった人権条項　*156*

4　人権の限界　*157*

　Column　憲法解釈と法律解釈のオーバーラップ（157）

5　一段階画定と二段階画定　*158*

6　公共の福祉　*160*

7　「公共の福祉」とは何か？　*162*

8　比較衡量　*164*

9　比較衡量の難しさと「類型的比較衡量」　*165*

10　規制の必要性・合理性を問うアプローチ　*167*

11　「二重の基準論」とその狙い　*168*

第3部　2つの視点から考える法解釈

第3部のはじめに……………………………………………………………172

第10章　広島市暴走族追放条例事件——憲法と刑法の視点から ── 174

第1節　憲法の視点から ………………………………………………174

1　はじめに　*174*

2　どのような事件か　*176*

3　何が問題となったのか　*177*

4　最高裁の回答　*179*

5　漠然性・過度の広汎性　*180*

6　過度の広汎性と合憲限定解釈　*181*

7　合憲限定解釈の限界　*182*

第2節　刑法の視点から ………………………………………………185

1　はじめに　*185*

2　3つの疑問　*186*

　(1)　Xにとっては明確？　(186)／(2)　「過度の広汎性」という議論の射程　(187)／(3)　(1)・(2)の共通項　(187)／(4)　間接罰であることの意味　(189)

3　おわりに　*190*

第11章　立川テント村事件——刑法と憲法の視点から ─────── 191

第1節　刑法の視点から ………………………………………………191

1　事実の概要　*191*

2　最高裁の判断について　*192*

3　侵入概念と被害者の意思　*194*

4　憲法論と違法阻却　　*197*

                (1) 可罰的違法性 (197)／(2) 外務省秘密電文漏えいとの関係？
                (199)／(3) 均衡論と，それに対する違和感 (199)

    第2節　憲法の視点から ……………………………………………*202*
            1　本件の背景　　*202*
            2　なぜ憲法学が表現の自由の制限を特別視するのか？　　*204*
            3　可罰的違法性，適用違憲，憲法適合的解釈　　*206*
            4　法秩序における憲法解釈の機能　　*208*

第12章　利息制限法と司法──民法と憲法の視点から ── *210*
    第1節　民法の視点から ……………………………………………*210*
            1　はじめに　　*210*
            2　利息制限法1条2項　　*210*
            3　利息制限法の制定（昭和29年）　　*211*
            4　出資法の制定（昭和29年）とグレーゾーン金利　　*212*
            5　超過利息は元本に充当できるか？　　*213*
            6　元本充当肯定説の採用　　*214*
            7　利息制限法1条2項の空文化　　*215*
            8　立法の対応　　*216*
            9　貸金業規制法43条のみなし弁済　　*217*
            10　貸金業規制法43条の限定解釈　　*218*
            11　貸金業規制法43条の空文化　　*218*
            12　商工ローン問題　　*219*
            13　その他の問題　　*220*
            14　おわりに　　*221*

    第2節　憲法の視点から ……………………………………………*223*
            1　権力分立と法解釈の限界　　*223*
            2　法解釈による政策形成が許容される場合　　*224*

3 違憲審査権と私法, 法解釈の担い手　*225*

事項索引（227）

凡　例

◯ 法　令

日本国憲法，民法，刑法に関する記述中では，原則として条数の前に法令名を付さずに表記している。その他の法令の略称については，有斐閣六法全書の略語例によった。

◯ 裁判例・判例集等の略記

大　　判	大審院判決	刑　　録	大審院刑事判決録
最 大 判	最高裁判所大法廷判決	民　　集	最高裁判所民事判例集
最判（決）	最高裁判所判決（決定）	刑　　集	最高裁判所刑事判例集
高　　判	高等裁判所判決	高 刑 集	高等裁判所刑事判例集
地　　判	地方裁判所判決	東高時報	東京高等裁判所判決時報
支　　判	支部判決	下 刑 集	下級裁判所刑事裁判例集
		判　　時	判例時報

◯ 文献の略記

芦　部	芦部信喜〔高橋和之補訂〕『憲法（第7版）』（岩波書店，2019）
井田・総論	井田良『講義刑法学・総論（第2版）』（有斐閣，2018）
内田Ⅰ	内田貴『民法Ⅰ（総則・物権総論）（第4版）』（東京大学出版会，2008）
内田Ⅱ	内田貴『民法Ⅱ（債権各論）（第3版）』（東京大学出版会，2011）
内田Ⅲ	内田貴『民法Ⅲ（債権総論・担保物権）（第4版）』（東京大学出版会，2020）
西田・総論	西田典之〔橋爪隆補訂〕『刑法総論（第3版）』（弘文堂，2019）
西田・各論	西田典之〔橋爪隆補訂〕『刑法各論（第7版）』（弘文堂，2018）
長谷部	長谷部恭男『憲法（第7版）』（新世社，2018）
林・各論	林幹人『刑法各論（第2版）』（東京大学出版会，2007）
前田・総論	前田雅英『刑法総論講義（第7版）』（東京大学出版会，2019）
前田・各論	前田雅英『刑法各論講義（第7版）』（東京大学出版会，2020）
山口・総論	山口厚『刑法総論（第3版）』（有斐閣，2016）
山口・各論	山口厚『刑法各論（第2版）』（有斐閣，2010）

＊条文や判例を「　」で引用するときは，原典どおりの表記を原則とするが，古い判決については，カタカナをひらがなに変えたり，濁点を補うなど，現在の表記方法に変更している場合がある。

執筆者紹介

◯ 山下 純司（やました よしかず）

 1996 年 東京大学法学部卒業
 現　在 学習院大学法学部教授
 著　書 『ひとりで学ぶ民法（第 2 版）』（有斐閣，2012）〔共著〕
    『民法 I（総則）（第 2 版補訂版）（LEGAL QUEST）』（有斐閣，2020）〔共著〕

◯ 島田聡一郎（しまだ そういちろう）

 1996 年 東京大学法学部卒業
    元早稲田大学法科大学院教授
 著　書 『刑法各論（第 2 版）（LEGAL QUEST）』（有斐閣，2013）〔共著〕
    『刑法総論（第 2 版）（LEGAL QUEST）』（有斐閣，2012）〔共著〕
    『事例から刑法を考える（第 3 版）』（有斐閣，2014）〔共著〕

◯ 宍戸常寿（ししど じょうじ）

 1997 年 東京大学法学部卒業
 現　在 東京大学法学部教授
 著　書 『憲法学読本（第 3 版）』（有斐閣，2018）〔共著〕
    『憲法 解釈論の応用と展開（第 2 版）』（日本評論社，2014）
    『判例学習の A to Z』（有斐閣，2010）〔共著〕

執筆協力者紹介

◯ 鎮目征樹（しずめ もとき）

 1997 年 東京大学法学部卒業
 現　在 学習院大学法学部教授

1 社会あるところに法あり

　法の解釈がなぜ必要なのかという問題は，そもそも法（ルール）がなぜ社会において必要とされるのかというより根源的な問題と，密接に関わっている。結論を先取りしていうと，社会が成り立つためには法が必要であり，しかも法と法解釈は切っても切り離せない関係にあり，法が必要だということはとりもなおさず，法解釈が必要だということなのである。こうした問題を考えるために，まずは身近な例で考えてみよう。

(1) 勉強会を立ち上げよう

　さしあたり，大学生のA君が仲の良い友人Bさん・C君と，先生から指示された資料の収集等の講義の予習を分担したり，期末試験対策を練ったりといった勉強会を始めるとしよう。最初のうちは，携帯に電話をかけたところたまたま全員が大学周辺にいたので集まったとか，「次の刑法の講義後に教室の後ろで集まって，どこか場所を探そう」という気楽な感じで勉強会を開くことができた。しかし，Bさんはバイトで忙しい，C君は他のサークル活動もあるということで，次第に，「金曜5限にラウンジで」とひとまず決め，都合が悪くなった時にはそれを連絡して変更してもらうようにする，というやり方が楽であることに気づくはずだ。それならば，誰が場所を用意する，誰が資料をコピ

ーしてくる，誰がお菓子を用意する等，交代で役割分担も決めておこう，さらには次の週は刑法でその次は2週続けて民法，憲法は最後でいいや，というように前もって予定を立てておいた方が準備しやすい。

　もう少し話を進めてみよう。社交的なBさんは友達のDさんを，またC君はサークルの友達のE君を勉強会に連れてきた。ところがDさんもE君も次の金曜5限は都合が悪い，木曜4限ならば空いているというので変更した。ところが，その次の週の木曜4限は3人しか出られない，金曜5限ならばE君も何とか都合がつくという。これからさらにメンバーも増えそうなので，とにかく「金曜5限」と固定してしまった方が楽かな。今週のお菓子係のDさんはおっちょこちょいなのでお菓子を買ってくるのをよく忘れるし，頭が良いE君は勉強会で鋭い発言をするのだが，資料収集などをさぼりがちだ。係の仕事を忘れたDさん，次回はお菓子係に加えてコピーもしてきてもらおうかな，そうでないと不公平だし，みんなやってこなくなって勉強会が崩壊してしまうことにもなりかねないからね。そうだ，これからは決められた係の仕事をしなかったら，みんなの分のお菓子代を払うことにしよう……。いままで口約束でなんとなく決めていたことを，次の勉強会で確認したり，ローテーションを紙に書いて回したり，ということも必要になるだろう。

(2) 法を定めよう

　ここで描いたのは，幹事役として「仕切る」A君の苦労話のように見えるが（それはその通りだが），ここには見方を変えれば，学生生活の1コマの中で小さいながらも1つの「社会」が立ち上がり，そこには必然的にある種の「ルール」が生まれている。より正確にいえば，ルールを作ることを通じて，社会が成り立つのである。関わる構成員が増えるごとに，その「社会」を維持しようと望むならば，そのたびに調整すべき大小の「もめごと」（紛争）が増え，それをあらかじめ避けるために明確な形でルールを取り決め（決定・公示），さらにルール違反には一定の「お仕置き」（制裁）を課すことが，必要になってくるのである。古来，**「社会あるところに法あり」**（Ubi societas, ibi ius）といわれるのは，このような事情を指している。

2　法の適用

(1)　法の適用が問題となる場面

いま，A君たちの勉強会は「係の仕事をしなかったらお菓子代を払う」というルールを定めた。このルールに裏打ちされた形で，幹事，報告係，連絡係，部屋係，コピー係，お菓子係等々，メンバーの間で順番に回していくことで，勉強会は順調に回っていく。このような場合には，ルール（法）がその姿を正面から現すことは，ほとんどない。それはちょうど，「人を殺した者は，死刑又は無期若しくは5年以上の懲役に処する」（刑199条）というルールは，国民の誰もが（刑罰の細かい内容はともかく）知っているが，普通の人にとっては，ニュースやドラマで殺人事件を見るのがせいぜいで，日常生活であまり意識することがないのと同様のことである。実は法が問題になるのは，それが発動されなければならない事態が生じた場合である。そこで，もう少しA君の苦労話を見ていこう。

Bさんは，バイトが忙しくて，前の勉強会でコピー係と決まっていたのに，うっかりしてみんなの分の資料をコピーするのを忘れてきてしまった。そこでA君は，幹事役として，前に決めたルールに従って，Bさんに注意して，来週こそきちんとコピーをしてもらうことにした上で，今回分のお菓子代を払ってもらうことにした。

(2)　法的三段論法

ここでA君は幹事として当たり前のことをしているのだけれども，本人が意識しているとしていないとにかかわらず，実は，事例にルールを「適用」している（「あてはめ」ともいう）のである。A君の思考を再構成すると，次のようになる。

---

① 「係の仕事をしなかったらお菓子代を払う」というルールがある
　　　　　　　　　　↓
② Bさんは，コピー係という「係の仕事をしなかった」
　　　　　　　　　　↓

> ③ Bさんは,「お菓子代を払う」べきだ

　①は,Bさんがコピーを忘れるという事例に先立って,あらかじめ定められた,一般的なルールとして,A君の目の前にある。そして,Bさんがコピーを忘れるという事例が,①のルールにいう「係の仕事をしなかった」に当たる,と判断したのが②である。そこでBさんは,①のルールの後半の通り,お菓子代を払うべきだ,と決めたわけである。
　このような思考のプロセスは,**法的三段論法**と呼ばれている。ふつうルールは,①のように,「○○ならば△△」という仮定の言明の形をとっている。これを「大前提」という。そして「○○ならば△△」のうち,前半の「○○」(いまの例では,「係の仕事をしなかった」)の部分に当たる事例,今回でいえば②が,「小前提」である。この①②から,③という「結論」(いまの例では,「お菓子代を払う」)を導く。数学の証明や論理学の基本を思い出してもらえばわかるはずだが,この法的三段論法は,常に論理的に「正しい」。法の適用が「論理的」でなければならない,というのは,最終的には,何か事件が起きた場合には,この法的三段論法に従って,結論を導かなければならない,ということなのである。

(3) 法の適用と事実の認定
　いま,法的三段論法は常に論理的に「正しい」,といったけれども,結論が別の意味で間違っている場合は,もちろんある。たとえば,A君は,お菓子係のC君がお菓子を買ってこなかったので,Bさんと同じように,お菓子代を1人で払ってもらおう,と考えた。この場合も,A君は,

> ① 「係の仕事をしなかったらお菓子代を払う」というルールがある
> 　　　　　　↓
> ② C君は,お菓子係という「係の仕事をしなかった」
> 　　　　　　↓
> ③ C君は,「お菓子代を払う」べきだ

というように法的三段論法を駆使したわけである。ところが，Ｃ君は，「いや，僕はお菓子係ではない。Ａ君のはずだよ」という。そこで調べてみると，実は勘違いをしていたのは，Ｃ君ではなくＡ君自身だった。この場合，小前提である②の内容が正しくなかったわけである。そうすると，本来は，

> ① 「係の仕事をしなかったらお菓子代を払う」というルールがある
> ↓
> ② Ｃ君は，そもそもお菓子係ではないから，「係の仕事をしなかった」のではない
> ↓
> ③ Ｃ君は，「お菓子代を払う」必要がない

というのが適切だったはずである。このように，②の小前提の内容が正しくないと，③の結論は正しくない，つまり，ルールから見た事例の解決としては「妥当」ではない，という残念な事態が生じる。ここで法的三段論法が常に論理的に「正しい」というのは，②が「正しい」前提であれば，③は①から見て妥当な結論になる，ということである。現に，Ｃ君がお菓子係ではない，というように②を正しい内容に置きかえれば，いま見たように，③では，Ｃ君はお菓子代を払う必要がない，という妥当な結論が導かれる。

このように，論理的に常に「正しい」法的三段論法によって，ルールから見て妥当な結論を導き出すためには，②の内容が正しいことが必要である。これは多くの場合，「Ｃ君がお菓子係だったのに仕事をしなかった」という事実があったかどうかというレベルの問題である。法を適用するためには，何が正しい事実かを発見し確定することが，必要になる。これを「**事実認定**」という。正しい事実認定を踏まえて三段論法を用いると，次のようになる。

> ① 「係の仕事をしなかったらお菓子代を払う」というルールがある
> ↓
> ② Ａ君は，お菓子係という「係の仕事をしなかった」
> ↓

> ③ A君は,「お菓子代を払う」べきだ

ということになる。A君はC君に謝り,お菓子代をきちんと1人で支払った。やれやれ(ここで,A君が幹事であるのをよいことに,自分が係の仕事をしなかったことを見逃してしまうと,大変なことになるだろう。**公平**〔fairness〕はおよそ法と法律家にとって必要である。公平を象徴する天秤が法,とりわけ裁判官のシンボルであるのは,このためである)。

3 法の解釈

(1) 法の適用と法の解釈

このように法の適用は,事実認定さえしっかりやれば,法的三段論法という論理操作だけで済むように思えるかもしれない。しかし,実はここまでは,この本で学ぶことの入口に到達しただけである。というのは,法の適用という作業の前に,それとは別に「法の解釈」という作業が必要になることがあり,その「法の解釈」の基本を学ぶのが,この本の内容だからである。

それでは,法の解釈がなぜ必要になるのだろうか。次のような状況を考えてみよう。

Dさんがたまたま資料を準備してくる回に,風邪をひいてしまい,勉強会を休んだため,その週の回はお流れになってしまった。さて,Dさんはお菓子代を払うべきだろうか? A君は自分では判断がつかないので,ルールの適用について,他の勉強会のメンバーの意見を聞いてみた。一方では,風邪で準備が無理だったんだから仕方がない,というC君の意見がある。他方で前に係をさぼってお菓子代を払わされた経験のあるBさんは,Dさんは確かにかわいそうだけれども,係の仕事をしないでみんなに迷惑をかけたのは同じだから,Dさんもそうすべきだ,と頑張っている。

ここでは,そもそもルールが「決められた係の仕事をしなかったらお菓子代を払う」という程度だったから,もともと明確ではなかったといえるかもしれない。実際問題として,「決められた係の仕事をしなかったらお菓子代を払う。ただし,病気の場合は別とする」とか,逆に「決められた係の仕事をしなかっ

たらお菓子代を払う。これは病気の場合も同様である」等と，あらかじめ決めておくのも，勉強会くらいであればずいぶんギスギスするように聞こえるだろう。しかし，A君たちが法学部生なのでそのようにルールを決めていたとして，たとえばDさんが風邪ではなく，交通事故に遭ってけがをしたというような場合はどうだろうか？　このように，ルールは，たとえ細かく決めても，新たな問題が起きることを完全に防ぐことはできないし，細かく決めることに意味がないとか，細かく決めると何が何だかわからなくなって，誰も守らない（守れない）ということもあるのだ。

　とにかく，現在のルールからすれば，Dさんがお菓子代を払うべきだとも，そうでないとも，どちらもいえそうな気がする。まさしくこのような，目の前の事例に法を適用しようとしたところ，法的三段論法にいう大前提の中身が明らかではなく，適用しようにも適用できないという場合に必要となるのが，法の解釈という作業である。

(2)　法を解釈する

　A君は，Dさんの事例を目の前にして，次のように考えた。

　現在のルールから杓子定規にいえば，Bさんの主張にも一理あるかもしれない。しかし，本来このルールは，(Bさんが以前そうだったように)「係の仕事をしようと思えばできたのに，しなかった」という場合を考えて，作ったものである。それはなぜかというと，係の仕事をさぼると，その日に勉強会の能率が下がってしまうというだけではなく，他のメンバーも係の仕事をさぼるようになったり，メンバーの間の雰囲気も悪くなったりするからだ。そうすると，今回のDさんのように，風邪をひいて仕事をしようにもできなかったとすれば，確かに今日の勉強会は流れてしまったけれども，これは仕方のない事態であることはBさん自身も認めていることだし，今回Dさんがお菓子代を払わされなかったといって，他のメンバーが係をさぼってよいということにもならないだろう。

　ここでA君は，このルールは何のために作ったのか，何のためにあるのか，このルールの意味をこのように捉えた場合に，どのような問題が生じるか（生じないか）等をあれこれ考え，ルールの意味を理解しよう（あるいは，理解し直

そう）としている。実は，こうしたA君の思考作業こそ，「法の解釈」の最も基本的な形に他ならない（このような解釈は，目的論的解釈と呼ばれる。→第1部第2章3(2)）。

こうした思考は，実はある程度世慣れた人であればほぼ無意識的に様々な生活の場面で行っていることだろう。法の解釈とは，こうした作業をより意識的かつ論理的に行うものなのである。

(3) 法の解釈の特徴

ただし，おそらく世慣れた人の日常的判断と，法の解釈には，1つの決定的な違いがある。それは，いまのような思考の過程を論理的に，しかも明示することで，それによって拘束されるということである。たとえば，A君は，上で示したようなルールの解釈を採用した上で，風邪をひいたDさんに対して，「決めた係の仕事をしなかったらお菓子代を払う」というルールを適用しない，という結論に至ったとしよう。

その後，今度はE君が風邪をひいて，勉強会に参加できなかったという場合はどうだろうか。もしかすると，C君はいつも勉強会でE君にやりこめられていたので，E君にはルールを適用すべきだ，と主張するかもしれない。しかしこのC君の主張は，いかにも不公平（unfair）だという印象を，皆さんは持つだろう。なぜかというと，前に風邪をひいたDさんをおとがめなしとしたのだから，風邪をひいたE君の場合も，Dさんと同じように扱うのが当然だからである。このような先例は，それ自体として確かに貴重である。しかしここで本当に重要なのは，仮にDさんが風邪をひいて勉強会を欠席したということがなかったとして，風邪をひいて係の仕事ができなかったのはE君がはじめてだった場合に，A君はルールをどのように解釈し適用したのだろうか，という問題なのである。

おそらくA君は，E君の風邪という事態に直面して，最善の解決を考えはしただろう。そして，E君の場合についても，やはり同じように最善の解決が何かを考えて，お菓子代の支払を免除すべきだという結論になったのかもしれない。しかしこれが法の解釈の問題だとすれば，1つ1つの事例ごとに，ルールに基づいてどうするかということを，更地から考え直すことは，しない。こ

こに法の解釈の特徴がある。Dさんの事例とE君の事例の間には，風邪をひいて係の仕事ができなかったという共通の特徴がある。そして先ほどのA君の解釈は，誰であれ風邪をひいて係の仕事ができなかった場合にはどうするか，というこの共通の特徴に着目したもので，Dさんが風邪をひいたから，E君が風邪をひいたからという「誰か」は関係がない。だから，解釈をするきっかけとなったのがDさんの事例であっても，E君の事例であったとしても，解釈のプロセスや解釈の帰結は，いつも同じでなければならない。

逆にいうと，Dさんの事例についてルールの解釈を行う際には，Dさんのことだけでなく，E君の風邪を含め（とはいっても，「E君が風邪をひくだろう」等と予想するわけではない。それは法の解釈ではなくて神様の御業である），風邪をはじめとする病気一般について，ルールを適用するかしないかを考慮した上で，解釈するというのが正しい態度だろう。このように，目の前の事例にルールを適用するかどうかを判断する際に，その事例だけでなく，その先の先を見通して考え，しかもそれを論理として示した上で行う判断——したがって，その論理からすれば共通項のある事例についても同時にあらかじめ結論を示したのと同じ判断——これが，法の解釈の特徴なのである。

4　法の複雑化と法律家

(1)　社会と法は複雑になる

おそらく5人の勉強会くらいであれば，そもそももめ事が起きることも少なく，たとえそれが起きたとしても，大したことにはならないだろう。しかし，メンバーが増えていくと，A君とそれまで面識のない人も増えていき，またこれまでの勉強会のルールや先例を知らないために，当初からのメンバーとの間で認識のズレが起きることもあるだろう。さらにこの勉強会が大規模で恒常的な部活動やサークルとなって，複数のパートを運営するようになったり，一定の連続性を保ちながら少しずつメンバーが入れ替わっていくようになったりすると，当初は小さな勉強会から始まった「社会」はますます複雑になっていく。

このように，構成員の数が増え，その相互の関係も複雑な，より大規模な社

会になればなるほど，そもそも何がルールか，誰がルールを決め，誰がルールについて判断するのかもはっきりしなくなってくる。たとえばA君の勉強会がサークルになると，会則や規約のようなものを定めて，大学に名前を届け出る代表者が誰かを決めたり，会費制度をとって，会費を納めない会員を退会させたりといったりすることも必要になってくるだろう。このように，何がルールか等を決めるルールが，自ずと必要になってくる。

少し話が難しくなるが，有名な法哲学者である H. L. A. ハートはある紛争を解決するために，あるいはそのような紛争を生じさせないために前もって，人間の行動を規律するルールを，「**1次ルール**」と呼び，それに対してこれらの1次ルールを定立したり，解釈・適用したりするのは誰か（企業でいえば株主総会や取締役，国の場合でいえば，国会・内閣・裁判所など）を決めるルールを，「**2次ルール**」と呼んだ（長谷部恭男訳『法の概念〔第3版〕』〔ちくま学芸文庫，2014年〕138頁以下）。いまのA君の勉強会の例では，「係の仕事をしなかったら罰を負う」が「1次ルール」であるのに対して，会則や規約などはこの「2次ルール」に当たる。現代国家のような複雑な社会は，このようにして複雑化したルールの体系を持っている。

(2) 法解釈の専門化

A君の勉強会の段階でも，ずっと厄介な解釈が求められる局面は，いくらでも考えられる。たとえば，E君が風邪をひいたという例をもう一度取り上げてみよう。Dさんは寝相が悪くて風邪をひいただけなのに，E君は明日勉強会があるとわかっていながら前の夜に徹夜でコンパで酒を飲んでいたからだとすると，DさんとE君の2人を同じに扱うべきだろうか。ルールのもともとのねらいから見て，E君の方はやはり「係の仕事をしなかった」というべきではないだろうか。仮にそのような結論が妥当だとして，それを導く「解釈」はどのようなものだろうか。

また，先ほども挙げた例だけれども，コピー係が勉強会に出席しようとして交通事故に遭ってけがをして，勉強会を欠席したという場合も，やはりルールの対象になるのだろうか。部屋係がほんの少し寝坊したために，部屋を取ることができなかったため，その日の勉強会が流れてしまったという場合はどうだ

ろうか……。

　メンバーが楽しく活動して，勉強会がますます盛んになっていくためには，こうした一連の事例を，一貫した形で，公正に処理・解決していくことが，必要になる。これが，2次ルールが整備されるようなより大規模な「社会」ともなると，複雑な社会現象に対応して，多種多様な法が日々生み出され，その法の解釈も続々と登場していく。そうすると，解釈という作業それ自体が，単に公平な人が一生懸命考えるという段階を超えて，より専門的なものになっていくから，解釈を得意とする人を育て，専門的に従事させていくことも必要になっていく。そのことは，ある程度の規模の企業に，「法務部」のようなセクションが設けられることからも，明らかだろう。ある意味では，社会の中では誰もがルールを解釈して生きているのだが，その延長線上で，特に解釈を専門にしてそれに通じた人たちが，「法律家」なのである。

＊　　＊　　＊

　この Introduction では，「法の解釈」とはどういう作業かを，日常生活にひきつけて理解するために，「法」と「ルール」を互換的に用いて説明してきたが，より厳密にいうと，法はルールの特殊なものである。とりわけ本書が扱うのは，この社会で強制的に実現されることが予定されている「実定法」の解釈の仕方である。したがって，法の解釈は，ルール一般の解釈よりも，特殊な訓練や工夫が必要になる。そこで本書では，まずは基本的な知識や論理操作から始めて，特に法解釈が対立している問題点（これを論点という）を取り上げて，法解釈とはどのような構造を持ち，どのように対立し，どのように優劣の評価が決まるのかを学ぶ。これらを通じて，自分で法解釈ができるようになる手助けをするのが，本書の目的である。

（宍戸）

第1部 法解釈を始めよう

Introduction
第1部 法解釈を始めよう
　第1章　まずは条文を眺めてみよう
　第2章　条文を解釈しよう
　第3章　各法分野における法解釈の特徴
　第4章　法解釈と利益衡量論
　第5章　解釈の対象となる法
　第6章　判例・学説の関係
第2部 各法分野における法解釈の例
　第7章　民法
　第8章　刑法
　第9章　憲法
第3部 2つの視点から考える法解釈
　第10章　広島市暴走族追放条例事件
　第11章　立川テント村事件
　第12章　利息制限法と司法

第1章
まずは条文を眺めてみよう

1　はじめに

　Introductionでは，なぜ法律学において法解釈が必要とされるのかという点について説明をした。ここからは，いよいよ法解釈の実践に移っていく。最初は条文を「見つける」「眺める」ことから始めたいと思う。

　法解釈の能力とは主として条文の解釈の能力であるが，それよりも前に，身につけておかないといけない能力がある。それは「**条文を見つける**」という能力だ。条文を解釈して，ルールを取り出そうと思っても，その条文が見つけられなければ話にならない。そこで，条文解釈のテクニックについて説明する前に，「条文を見つける」ことから始めようというわけだ。

　ここからは，手元に六法を用意してここからの説明を読んでほしい。憲法・民法・刑法が載っていれば，とりあえずどんな六法でも構わない。いま，私の手元には令和3年版の『ポケット六法』（有斐閣）があるので，これを題材に使うことにする。

2　法律・条文を見つける

　条文を見つけるためには，まず，その条文が含まれる法律を見つけなければならない。法律の名称がわかっている場合には，法令名索引や目次を利用する。六法を開くと，たいていの六法では表紙の裏（見返し）部分に法令名の索引が掲載されている。その六法に収録されている法令について，名称，略称等を五十音順で並べ，頁数を記してある。また，目指す法律の分野（公法，私法，刑事法など）がわかれば目次から項目を探し，目指す法律を見つけることができる。

条文の内容はわかっているが，どの法律の条文だったかわからないという場合には，事項索引を利用する。これはたいてい六法の最後の方に掲載されている。キーワードとなる事項ごとに，関連する法律名や条数が掲載されている。

そこで，とりあえず民法を探そう。六法の目次で見ると，民法は，「民事法」「民法編」などの項目の最初に収録されている。そのページを開くと，また目次がある。これは「民法」という法律自体の目次である。このように，憲法，民法，刑法のような大きな法律については，各法律の冒頭部分に，条文編成を示すための目次が付されているのが一般的である。それを見ると，条文全体をいくつかの編に分けて，その編をいくつかの章に分割していることがわかる。民法の場合，編→章→節→款→目と5つにも段階が分かれているところがある。これらの分類された項目のそれぞれの中に，条文が収められているわけである。

では，民法の目次を見てみよう（カッコ内は筆者の付した解説）。

民法の並び方
第1編　総則　（←民法全体の「総則」）
　第1章　通則　（←民法の中でも特に基本的な条文を規定）
　第2章　人
　……
第2編　物権
　第1章　総則　（←2〜5編の最初の章は各章の「総則」）
　第2章　占有権
　……
第3編　債権
　第1章　総則　（←債権編の「総則」）
　　第1節　債権の目的
　……
　第2章　契約
　　第1節　総則　（←債権編の中の契約の章の「総則」）
　……
　　第3節　売買
　　　第1款　総則　（←契約の章の中の売買契約の節の「総則」）
　　……
第4編　親族
　第1章　総則　（←親族編の「総則」）

> 　　第2章　婚姻
> 　　……
> 第5編　相続
> 　　第1章　総則　（←相続編の「総則」）
> 　　第2章　相続人

　民法は，5つの編に分かれている（総則，物権，債権，親族，相続）。このうち，物権編・債権編は主として財産関係の法，親族編・相続編は主として家族関係の法を扱う。財産関係の法は，物権（物に対する権利）と債権（人に対する権利）を区別して別個のルールで規律するのが民法の原則であり，これが編成にそのまま反映されている。債権編の中を見ると，5つの章に分かれている（総則，契約，事務管理，不当利得，不法行為）。これは債権の発生原因を，契約，事務管理，不当利得，不法行為という4つに分類しているためである。このうち，条文が多い契約の章の中を見ると，14の節に分かれている（総則，贈与，売買，交換，消費貸借，使用貸借，賃貸借，雇用，請負，委任，寄託，組合，終身定期金，和解）。これは，民法が契約を13種類の類型（典型契約という）に分類してそれぞれにルールを設けているからである。

　これによってわれわれは，紛争が生じた場合に，それが財産関係の紛争か，家族関係の紛争か，財産関係の紛争であれば，そこで争われる権利が物権的な権利か債権的な権利か，債権的な権利であればその発生原因は何か，発生原因が契約であれば問題の契約はどういう種類の契約か……といったふうに考えていき，問題を整理しながら，関連する条文を見つけていくことができるのである。

　このように，個々の法律の項目の並び方を頭に入れておけば，条文を簡単に見つけ出せる。「条文を見つける」という法律家の能力を磨くために，条文を引いたら，その条文がどの項目の下にあるか，目次で確認しておくようにしよう。

3　条文の構造

　では，条文を実際に引いてみよう。民法608条を見てほしい。次のように書

かれている。

> （賃借人による費用の償還請求）
> 第608条　①　賃借人は，賃借物について賃貸人の負担に属する必要費を支出したときは，賃貸人に対し，直ちにその償還を請求することができる。
> ②　（略）

　この条文は，2つの段落に分かれている。これを「項」という。ここでは第1項のみ掲載し，第2項は省略した。なお，ポケット六法では，各項に①②と番号が振ってあるが，これは有斐閣がわかりやすさのために振っているもので，正式な法文では，第1項には数字を振らず，2項の冒頭に「2」と振ってある。

　さて，608条は，民法のどこに置かれているだろうか。目次で確認すると，民法第3編第2章第7節第2款「賃貸借の効力」という場所にある。ここから，これは賃貸借契約，すなわちお金を払って物を借りた場合の効力に関する規定なのだということがわかる。

　608条は次のようなしくみになっている。

> (A)　(ア)賃貸借契約があるとき，
> 　　　(イ)賃借人が物の使用に必要な費用を支出したとして，
> 　　　(ウ)その費用が本来賃貸人の負担すべきものである場合，
> 　　　　　　↓
> (B)　賃借人から賃貸人に費用の償還（返還）を請求する権利が発生する。

　つまりこの条文は，「AならばB」という形になっている。このAの部分を**要件**，Bの部分を**効果**という。また，Bのところで，ある人と他の人の権利関係が定められている。このように，法律の条文には，要件と効果が定められており，効果の部分には権利義務の発生が書かれているのが典型的である。

　もっとも，法律の条文が全てこういう形式を完全に備えているわけではない。たとえば606条1項本文（第1文）を見ると「賃貸人は，賃貸物の使用及び収益に必要な修繕をする義務を負う」とあるが，効果のところで，賃貸人が誰に義務を負うのかがはっきり書かれていない。さらに，要件効果を定めていないように見える条文もある。言葉の定義を定めるような条文（85条を見てみよう）

や，法律の趣旨や目的を定めるような条文である（消費者契約法1条を見てみよう）。
　ちなみに民法608条1項が想定しているケースは次のようなものである。606条1項とあわせて考えれば，答えは明らかだろう。

> **Case**　あなたが大家さんから賃借しているアパートの部屋に，老朽化が原因で雨漏りがしたので，急いで業者に頼んで修理してもらった。業者に支払った修理代を大家さんに返してもらえるか。

4　条文の並び方

　ところで，民法の目次を眺めていると，「総則」という項目名が，各編，各章の冒頭に，頻繁に出てくることに気づく。このような条文編成方式を**パンデクテン方式**という。これはローマ法に起源を持ち，ドイツ民法典編成の際に採用された条文の編成方法の名前である。その特徴は，その項目内において一般性のある条文をまとめて，「総則」という下位項目を立てるという方法にある。
　たとえば，民法の第3編「債権」の第1章「総則」は，債権一般に適用される条文をまとめてある（債権総則）。同じ編の第2章「契約」の第1節も「総則」とあるが，これは契約一般に適用される条文をまとめてある（契約総則）。さらにその同じ章の第3節「売買」の第1款も「総則」である。ここには売買一般に適用される条文をまとめてある。このように，「総則」という項目には，1つ上位の項目についての一般ルールを定める条文が集まっているのである。
　このパンデクテン方式は，刑法でも採用されている。ただし，民法ほど複雑な構成にはなっていない。一方，憲法はこの方式をとっていない。それぞれの法律の目次を確認してほしい。また，その他の法律を見ても，パンデクテン方式を採用している法律と，そうでない法律がある。一般に，条文数の多い法律は，この方式を採用することが多い（会社法や民事訴訟法を参照）。
　この，パンデクテン方式の条文編成は，高度に洗練された条文編成方法である。この条文配列のおかげで，一般性のある条文は「総則」にまとめられ，条文数を少なくすることができる。それに，条文が理論的に並んでいるわけだか

ら，いったんその体系を頭に入れてしまうと，目指す条文を早く，確実に見つけることができるようになる。

　しかし，この条文編成には欠点もある。それは，1つの問題を解決するのに，あちこち条文を見なければいけないということである。たとえば，売買をめぐる紛争に適用される条文は，民法の「売買」の項目の下に固まって置かれているわけではない。売買は契約だから，契約総則の条文を見なければいけないし，契約は債権の発生原因の1つだから債権総則の条文も見なければいけない。もちろん，民法第1編「総則」編は，民法全般に適用される条文をまとめているのだから（民法総則），この編の条文も関係してくる。

　要するに，適用される条文が分散して置かれている。したがって，売買をめぐる紛争が生じた場合に，「売買」の項目下にある条文だけを見ていても，紛争解決のためのルールを適切に導き出すことはできない。初学者は，このパンデクテン方式条文編成に慣れる必要がある。

5　条文を眺めることの重要性

　初学者のなかには，とくに民法を苦手とする人が多い。その理由の1つはここまで見てきたように，民法が多数の条文を，パンデクテン方式条文編成という体系に沿って配列しているからである。どの条文を見ればよいのかわかりにくいし，覚えにくい。第一，あちこち見ないといけないので面倒くさいのである。

　でも，こうも考えられないだろうか。離れたところに置かれた一見関係なさそうに見える条文が，実は関連しているということを理解するのも，立派な法解釈の技術である。そうすると，民法のように条文数の多い法律の場合には，ある紛争に適用される条文を，必要にして十分なだけ，自信を持って素早く選び出せるということだけでも，なかなかの実力があるということができる。「民法では，条文が選び出せるようになるだけでもスゴイ！」のだと考えると，すこし気が楽になるのではないだろうか。

　そして，法律の条文の編成を理解して条文が素早く引ける実力がついてくると，それぞれの条文の意味をより深く理解することができるようになってくる。

外国語で小説を読んでいる場合をイメージしてほしい。一文一文の意味を日本語に訳して，何が書かれているのかを理解することは「解釈」である。これももちろん重要だ。しかし，そうやって意味を理解した一文が，前の章にあった伏線や，最終章の結末と，どういう風に関係しているのかを理解したときに，はじめてその一文が小説のストーリー全体の中で持っている役割がわかる。つまり，小説を読み終えて，小説全体を「解釈」したときに，一文一文の本当の意味もわかってくる。

　法の解釈でも同じことがいえる。条文それ自体に書かれている内容だけでなく，その条文がなぜこの位置に置かれているのか，前後の条文との関係はどうなっているのか，その条文がどのような項目としてまとめられているか，その項目の上位項目は何かなど，様々な点に注意を払いながら，法律全体の中でのその条文の位置づけを理解することで，その条文の意味がより深く理解できるようになるはずである。条文を繰り返し眺めて，目指す条文が素早く引けるようになるということは，それ自体が法解釈の実力向上につながっていくのである。

（山下）

第 2 章

条文を解釈しよう

1 はじめに

　皆さんは，法学部に入学される前，法学とは，何をする学問だと思っていただろうか？　なんとなく，日本の法律の現状を学ぶ学問，くらいには思っていても，それ以上の具体的イメージは持てなかった人が多いのではないだろうか？　それでは，法学部で実際に学び始めた感想は？　もちろん，そこでは，法制史，外国法，さらに法と関連する社会学や，法制度を経済的に分析する法と経済学など，法律をめぐる様々な科目が展開されているのだが，その中心となるのは，**法解釈学**だということに，気づかれるだろう。

　法解釈とはどういうことか。たとえば民法，刑法といった法律でも，あるいは憲法でも，いくつもの条文が存在している。たとえば，刑法 199 条を見てみよう。

　「人を殺した者は，死刑又は無期若しくは 5 年以上の懲役に処する。」

　殺人罪である。この条文を見て，「意味がわかりますか？」と聞くと，法学部に入学したての人は，たいてい，「わかります」と答える。

　しかし，実は，話はそれほど単純ではない。簡単な話から，順番に説明していこう。

2 他の条文も参照しなければならない

　まず，「5 年以上の懲役」とあるが，これは何年以下なのだろうか？　「無期」懲役と区別されている以上，上限がある（有期懲役）はずだが，これは**他の条文**を見ないとわからない。刑法 12 条を確認しよう（さらに，複数の殺人罪を

犯した場合には，45条および14条により，最長30年とすることができる）。また，死刑や懲役の内容も，他の条文を見ないと，正確には理解できない（11条・12条。より詳しい内容は，「刑事収容施設及び被収容者等の処遇に関する法律」を見なければならない）。

　それから，「人を殺した」というけれど，自動車の運転を誤って，被害者を殺してしまった場合は，殺人罪になるのだろうか？　この条文だけ読むと，当たりそうな気がする。でも，それは殺人というのとは何か違う気がする。これも**他の条文**を見ないとわからない。具体的には，それは38条1項であり，こう書いてある。「罪を犯す意思がない行為は，罰しない。ただし，法律に特別の規定がある場合は，この限りではない」。この「罪を犯す意思」を故意という。

　殺人「罪を犯す」意思は，人を殺すとわかっていながら行為に出た場合に認められる（やや不正確だが，いまは大まかなイメージでよい）。しかし，自動車の例は，被害者を殺すことはわかっていなかったのだから，故意がなく，199条では処罰できないということになる（誤って，すなわち，過失により人を死亡させた場合は，過失致死罪〔210条〕，その加重類型である業務上過失致死罪〔211条前段〕・重過失致死罪〔211条後段〕が適用される。ただし，上記のような自動車運転中の過失については，さらに重い過失運転致死罪〔自動車の運転により人を死傷させる行為等の処罰に関する法律5条〕となる。これらは，38条1項ただし書にいう「特別の規定」の一例である。法定刑は，199条よりも，かなり軽い）。

　このような解釈手法を，その法律全体の体系に基づく解釈という意味で，**体系的解釈**と呼ぶことがある。

3　条文だけではわからない

(1)　立法者意思

　では，次に「人」とは何だろうか？　私が，たとえば，法学入門の授業でこういうと，笑う方が結構いる。でも，これは，冗談ではなく，真面目な話である。まず「人」といっても，法律上は，自然人と法人（会社など）がある。殺せるのは，自然人だけだから，199条にいう「人」は，自然人と解さざるをえない。しかし，これも1つの解釈にすぎない。たとえば，235条（窃盗罪の条文

である）の「他『人』の財物」（「他人の所有物」という理解が一般的）における「他人」には，法人も含まれることは明らかだろう（銀行のお金を盗って，窃盗にならないというのは，明らかにおかしい）。

　それでは，230条（名誉毀損罪）の「人」は，どちらだろうか？　こうなってくると，いずれか迷うのではないだろうか。こういった場合には，条文や他の条文をいくら眺め回していても，決着はつかない。

　そのような場合には，法律解釈の技法を使う必要がある。これには，実はいくつかのものがある。しかも，そのどれが絶対的な意味を持つかが，必ずしもはっきりしないところが，法律学のおもしろさであり，難しさでもある。

　素直に考えると，まず「この条文を作った人は，どう考えていたのだろう？」ということが気になるのではないだろうか。こうした**立法者意思**は，確かに，解釈において，重要な意味を持つ。特に，最近の立法については，立案担当者による詳細な解説があることが多く，参考になる。

　しかし，この手法は，残念ながら万能ではない。その理由は2つある。

　まず第1に，そもそも立法者意思がはっきりしないことが少なくない。この，名誉毀損罪の被害者に法人が含まれるか，という点についても，立法時の議論を参照したところで，明確な答えは得られない。また，立案担当者の意思が明らかであっても，それが立法者意思というわけではないことにも，注意が必要である（先ほど立法者と立案担当者とを使い分けたことに気づいただろうか？）。多くの場合，法律は国会で制定される以前に，各省庁で原案が作られるのであり，立案担当者とは，そこで原案を作る作業を担当した公務員のことである。それは，解釈の参考にはなるが，その意思を，ただちに立法者（その法律を成立させた国会）の意思と同視することはできない。

　第2に，立法者意思が，ある程度明らかであっても，その当時存在していなかった事態のために，前提が崩れてしまっている場合がある。もし，同じ立法者が，仮に現在生きていれば，そう判断したかどうかに疑問が生じる場合といってもよい。たとえば，現行刑法ができた1907年の段階では，現在では，皆が当然のように使っているコピー機，インターネット，ATM，プリペイドカード等は存在しなかった。こうした物を前提としない立法者の意思が，そうした物と関連する犯罪的行為（たとえば，一部を改ざんした公文書のコピーを作成す

る行為は，公文書偽造罪〔155条〕の対象となるか，等）において，どれほどの意味を持つのだろうか。もちろん，そうした事態に対応した新たな立法がなされることもある。しかし，そのような立法が存在しない場面では，立法がなされるまで解釈で対応するしかない。その場合，どのような解釈をなすべきかは，立法者意思だけでは決めることができないのである。

> **Column　コンピュータ／サイバー犯罪と刑法改正**
>
> 　現行刑法制定当時存在していなかった事態に対応するための立法の代表例として，コンピュータ犯罪・ネットワーク犯罪対策のための規定の新設を挙げることができる。コンピュータによる情報処理において用いられる磁気情報などを用いた記録（CD-ROM や USB メモリなど。刑法上これを「電磁的記録」という。その正確な定義は，7条の2参照）が関係する犯罪的行為については，昭和62（1987）年，コンピュータによる取引決済システムを悪用する財産権侵害行為に対処するために，電子計算機使用詐欺罪（246条の2）が設けられるなどの立法的対応がなされた。また，平成13年には，支払用カード電磁的記録に関する罪（163条の2）が新設されているが，同罪は，クレジットカード・プリペイドカードなどの電磁的記録の情報をスキミングなどの方法で不正取得した上でカードを偽造する行為に対処するための立法である。さらに，平成23年には，いわゆるサイバーポルノに対処するために，それまで「物」に限られていたわいせつ物頒布等罪（175条）における頒布・公然陳列行為の客体に，画像データが保存されたハードディスク・メモリーカードなどの「電磁的記録に係る記録媒体」が追加され，また，コンピュータ・ウイルスなどの不正なプログラムに対処するために不正指令電磁的記録に関する罪（刑法典第2編第19章の2）が新設された。

(2)　目的論的解釈

このようにして，立法者の意思が決定的とはいえない場合に使われる手法が，**目的論的解釈**と呼ばれるものである。一般化していえば，法律は一定の目的を持って規定されているのだから，その目的に照らして合理的な解釈を行うべきだ，というのである。

そして，刑法の場合であれば，各犯罪は，それぞれ一定の利益を保護するた

めに規定されているのだから（こうした利益を，**保護法益**という），そうした保護法益の観点に照らして当該解釈が合理的か否かが問われるのである。

たとえば，先の名誉毀損罪であれば，その保護法益は，通説によれば「人に対する社会的評価」とされている（たとえば，西田・各論122頁）。そうだとすると，法人であっても社会的評価を享受している以上（優良企業，ブラック企業などという評価は，よく耳にするではないか），刑法230条にいう「人」には，法人も入る，という結論となる。

(3) もう一度，条文の文言に

しかし，私が専門とする刑法の場合，目的論的解釈には刑法固有の理由から一定の限界があると理解されている。すなわち，刑法の目的は法益の保護にあるとされるが，それに尽きるわけではない。犯罪となる行為をあらかじめ明らかにすることによって，逆に，それらに当たらない行為は処罰しないことを示し，人々の**行動の自由**を保障することも，刑法の重要な目的である。それゆえ，法益保護の観点からすれば処罰範囲を広げることが合理的と考えられる解釈も，条文の言葉としてそのように解するのが到底無理な場合（これを「**言葉の可能な意味**」を超えているという）には許されないと理解されている。

たとえば，先ほどの230条における「人」に「法人」も含む，というのは，199条の場合よりも「人」の範囲を広げるものではあるが，言葉の解釈として，十分成り立ちえた。しかし，たとえば，人の飼い犬は，たとえそれが，ペットとしてどれほど可愛がられていたとしても，「人」とはいえないから，犬を殺人罪，傷害罪（204条）の客体に含めるのは，明らかに無理である（261条を見ると，「他人の物を……傷害した」とあり，動物の傷害，殺害は，こちらで処罰される。また，動物愛護法違反にもなる）。当たり前のことをいっているように聞こえるかもしれないが，わかりやすい例にするために，当たり前に思える例を挙げただけで，実は，言葉の可能な意味を超えているか否かが，法律専門家の間ですら一致を見ないことが，しばしば見られる（これについては，さらに第3章第2節3(1)をも参照されたい）。

4　言葉の文理との関係という観点からの分類

　3で見た解釈の分類（立法者意思・目的論的解釈）は，解釈を行う際の実質的な根拠，観点から見たものであった。これに対して，より技術的・形式的な観点からの分類もなされている。具体的には，**文理解釈**，**反対解釈**，**拡張解釈**，**縮小解釈**といった分類がそれである（場合によっては，**類推解釈**も，ここに加えられることがある。くわしくは，→第3章第1節・第2節）。

　これらは3で見たのとは次元が異なる分類である。条文の言葉の，通常の語義に当てはまる場合に，それを適用するのが文理解釈であり，他方，条文の文理に当たらない場合に，それとは逆の結論を導くのが反対解釈である。これに対し，言葉の日常用語としての意味から若干外れるが，なお可能な意味の範囲内の概念を条文で用いられている言葉に取り込むのが拡張解釈，逆に，言葉の日常用語としての意味に当てはまるにもかかわらず，一定の理由から，それに当たらないとするのが縮小解釈である。

　たとえば，人がいるバスに放火しても，現住建造物等放火罪（108条）が成立することはない。なぜなら，条文によれば，同罪の客体は，現に人が住居に使用しているか，または現に人のいる「建造物，汽車，電車，艦船又鉱坑」に限られるからである（つまり，バスは含まれない）。この解釈は，108条の文理解釈である。また，それは，バスが「建造物，汽車，電車，艦船又は鉱坑」という本条が定める客体に文理上は該当しえない（＝条文の文理に当たらない）ということから，直ちに現住建造物等放火罪が成立しないという結論（＝それとは逆の結論）を導いており，108条の反対解釈であるともいえる（これに対して，もし，バスは汽車，電車に当たらないが，だからといって直ちに本罪の成立が否定されるわけではなく，バスも汽車や電車と同程度に多くの人が用いる交通機関であるから108条でやはり処罰すべきだ，というのは，類推解釈である。しかし，これは刑法の解釈としては，許されないとされている〔くわしくは，→第3章第2節〕）。

　拡張解釈としては，たとえば，「現に人の住居に使用する建造物」を「現に人の起臥寝食の場所として日常的に使用する」（大判大正2・12・24刑録19輯1517頁）と解釈して，学校宿直室も，それに含める解釈が挙げられる。これは，そうした建造物であれば，たまたまその場に人がいなくても，普段そこを使用

している人（さらに，来訪者）がいつ立ち寄り，火に巻き込まれるかわからない，という目的論的解釈に基づき，通常の意味での「住居」よりは，若干広い解釈をするものである。

他方，縮小解釈の例としては，豚小屋への放火について，108条の隣の非現住建造物等放火罪（109条）の成立を否定した裁判例（東京高判昭和28・6・18東高時報4巻1号5頁）を挙げることができる。条文上，109条の客体は，「現に人が住居に使用せず，かつ，現に人がいない建造物」と定められており，言葉の日常用語としての意味からすれば，豚小屋はこれに当たりそうである。しかし，裁判所は，その内部での人の起居あるいは内部への人の立入りが，全く予定されていない豚小屋は，これに当たらないという解釈を示したのである。ただし，ここで注意しなければならないのは，このような縮小解釈の当否は，別途，3で見たような実質的な観点から検討されなければならないということである。本判決のような解釈を支持する学説も有力であるが（前田・各論335頁），たとえば，「非現住建造物等放火罪においては建造物内部の人に対する危険は問題とならず」豚小屋程度であれば「それを焼損することによって延焼の危険が類型的に認められる」から，こうした縮小解釈の必要はないとする見解も主張されているところである（山口・各論388頁。これも，不特定または多数の人の生命・身体・財産という本罪の法益に着目した目的論的解釈の一種である）。以上の拡張解釈と縮小解釈については，第3章第2節3で，刑法解釈の特色と関連して再度取り上げる。

5　この章の終わりに

ここまで，「法律学」における解釈論の基本的作法を，主に刑法を素材に，説明してきた。しかし，このような一般的な議論を一度聞いただけで，解釈論をすぐ使いこなせるようになるわけではない。たとえば，スキーの滑り方を一通り習ったあと，それを上達させるためには，何度も練習を繰り返さなければならないのと同じように，法解釈についても，自分で何度も，こうした解釈の練習をしなければならない。そしてその際には，はじめは，既に存在している「型」を追体験してみることが必要である。具体的には，判例の論理や，学説

による解釈などを，こういった観点を意識して，自分なりにトレースしてみることによって，力がつくと思う。

　しかも，そうした「型」には，各法分野ごとに微妙な差異がある（いわば，スキーもあれば，スノーボードもある）。ここから先は，憲法，民法，刑法，まずは，それぞれについて，それぞれの特徴がよく現れている解釈の「型」を学んでもらう。そして最後に，同じ素材を前に，異なる分野の専門家が，どのあたりまでは一致し，どのような点で，異なった見方をするのかを見てもらうこととしたい。

（島田）

第3章

各法分野における法解釈の特徴

第1節 民　　法

1 民法条文は多い？　少ない？

(1) 民法は条文が多い

　この章では各法律の解釈における特徴について説明する。まず民法から始めよう。憲法や刑法と比較した場合，民法の特徴は何といっても条文が多いことだろう。民法は私人同士の紛争を解決するための基本ルールを定めている。その対象とする範囲も幅広く，市民生活から取引関係に至るまで様々な問題について，権利義務関係を規律している。民法を学び始めたばかりの者がまず戸惑うのは，この条文の多さである。しかし，既に述べたように，わが国の民法の条文は体系的に並んでいるので，その体系を理解しさえすれば，目指す条文を見つけ出すことはそれほど難しくない。民法解釈の第一歩は，問題となる条文を見つけ出すところから始まる（→第1章）。

　民法は条文が多いので，解釈に当たって手掛かりとなる条文も多い。そのこと自体はよいことである。しかし，それだけ条文の解釈について学ばなければならないことも多い。裁判例も数多くあり，判例によって条文の解釈が確立しているところも数多くある。だから，初学者が民法の解釈を学ぶ場合，基本的なルールを中心に勉強をして民法の全体構造を理解した後で，少しずつ，より深い解釈について学んでいくのがよい。一度に全てを理解しようと欲張らないことだ（こうした勉強方法は，他の法律についても有効な場合が多い）。

(2) 基本的なルールは書かれていない

　民法を学ぶ上では，基本的なルールを学ぶことが重要だと述べたが，そのルールはどの条文に書かれているのだろうか。第1章で説明した通り，民法はパンデクテン方式を採用しているため，一般的なルールは各編，各章，各節で「総則」という名称でまとめられているものが多い。一般的イコール基本的とは限らないが，それぞれの制度を学ぶ上で重要なルールはそこに書かれているものも多い。ただし，さらに別の問題がある。

　実は，日本の民法は条文数としては少ない方である。現在日本の民法の条文数は1000条ほどだが，ドイツやフランスの民法は2000条を超える。日本の民法の条文数が少ないのは，明治期に民法を起草した際，「当然のルールは条文化しない」という方針で作られたためだといわれる。たとえば，「契約は合意の当事者に，約束したことを履行する義務を負わせる」というルールの直接の根拠となる条文は存在しない。売買契約がどのように成立するのかについての条文（555条）や，債権者は債務者に対して義務の履行を強制できることを定める条文（414条）は存在するのだが，契約上の義務の根拠を一般的に明らかにする条文は存在しないのである。フランス民法には「合意は当事者にとって法に代わる」という趣旨の条文があり，日本の民法の起草する際にも参考にされたに違いないのだが，「武士に二言なし」という教育を受けてきた明治初期の起草者たちにとって，契約の中で約束した行為について履行する義務が生じることなど当然すぎて書くまでもなかったかもしれない。

　このため，もっとも基本的なルールの中には，民法で条文化されていないものがある。そうしたルールは覚えていくしかないわけだが，この手のルールはそれほど複雑なものではないし，正しく民法の勉強を進めていれば自然と身に付くものである。あまり難しく考えない方がよい。

2　類推適用の活用

　民法の基本ルールについて条文がある場合には，その条文の解釈が問題となる。第2章で説明したように，条文の解釈とは，条文の文言の意味を確定し，そこからルールを導く作業だが，民法の解釈における特徴は，その解釈の自由

度の高さである。

　民法では，ある問題を直接に解決する条文が発見できない場合に，それと似た状況を解決する条文を根拠に，ルールを導くことがある。これを**類推適用**という。たとえば，民法772条によると，婚姻の成立の日から200日を経過した後または婚姻の解消もしくは取消の日から300日以内に妻から生まれた子は，夫の子であるという推定が働く。この条文を，正式な婚姻の届出をしていないが，婚姻に準じた関係（事実婚，内縁）にある男女に類推適用した判例がある（最判昭和29・1・21民集8巻1号87頁，最判昭和46・3・19判時623号75頁ほか）。つまり，内縁の妻が内縁関係の成立の日から200日後，その解消の日から300日以内に分娩した子は，内縁の夫の子と推定するというルールを，772条の類推適用として導いているのである。

　このような類推適用は刑法では許されないとされている。民法の解釈が刑法に比べて自由に行われる理由は，いくつか考えられる。刑法の側の理由は第2節に譲るとして，ここでは民法の側の理由として，民事裁判の特質を挙げておこう。民事裁判では，私人と私人の紛争が扱われる。その意味では原告も被告も対等の立場で，それぞれが主張する利益をどのように調整するかが問題となっている。だから，民事裁判では，問題となっている紛争を直接解決する条文がない場合には，柔軟な解釈によって望ましい利益調整ルールを作り出すことが求められるのである。刑事裁判では，厳格な解釈をした結果として処罰根拠となるルールが存在しなければ，一律に無罪という判断が下されるが，民事裁判ではそういうわけにいかないのである。

3　契約解釈との関係

　民法の解釈では，条文以外の解釈が紛争の解決に重要となってくることも多い。典型的には，契約の解釈である。契約は私人間の権利義務関係をときに法律の定めと異なる形で設定するから，民事裁判において契約の解釈が占める比重は大きい（このように契約により変更できる法律規定を**任意規定**という。それに対して契約によって変更できない規定を**強行規定**という）。

　契約の解釈は，契約内容が契約書によって書面化されている場合は，条文の

解釈と類似する面が生じる。契約条項の文言を重視すること，条項の意味がはっきりしないときは，その趣旨を考えたり，他の条項との関係を考えたりしながら，意味の明確化を図るところなどである。

しかし，契約の解釈においては，その契約を締結した当事者の意思が最も重要な解釈基準になる。特に，ある契約条項の解釈について，契約両当事者の意思が一致している場合には，文言よりもその意思を優先した解釈をするべきであるといわれている。この点は，契約の解釈が条文の解釈と異なる部分である。そのような意味での当事者の意思の重視がいわれるのは，民法が市民同士の対等な関係を規律する法律であり，契約が「私的」な問題であり，当事者の意思による自治を尊重し，できるだけ自由に契約を締結させるべきであるという考え方が基本にあるからである。民法上の基本原則とされる，私的自治の原則や契約自由の原則は，そのような考え方を表したものである。

4　民法の解釈は自由というけれど……

(1)　どんな解決でも導けるわけではない

類推適用の活用について述べた際に，民法の解釈は自由度が高いということを述べた。しかしだからといって，民法の解釈からどのような結論でも導くことができるわけではない。

たとえば1つの土地の所有権がXとYのいずれにあるかが問題となっている民事裁判で，「両方所有者と認めて土地を半分に分けましょう」という判決はありえない。民法では1つの物には1つの所有権しか成立しないというルールがあるからである（一物一権主義という，条文にない基本ルールの1つである）。そのような解決が眼の前の事例を解決するのに最も妥当な方法だとしても，民法の解釈として導けない結論というものがある。

当然のことであるが，民事裁判における判決も，ある紛争解決を私人に対して強制する国家権力の行使である。民法も，そうした権力が裁判官によって濫用されないためのルールを提供しているという点では，刑法その他の法律と同様の役割を有している。したがって，民法の解釈は自由だといっても，解釈によって導ける解決と導けない解決があるということは認識しなければならない。

初学者はどうしても，目の前の紛争を解決するのに何が妥当な結論かという点にばかり目が行きがちである。しかし，民法の解釈によって導かれる私人間の紛争解決ルールは，個別具体的な民事紛争を解決するに当たって常に最善の結果をもたらすわけではないという，冷めた目線も必要なのである。

(2) 民事裁判は数ある紛争解決手段の1つにすぎない

ここで少し話を広げて，民事裁判の役割について考えてみよう。民事裁判では，裁判官が和解を勧告することがよくあり，判決までいかずに和解で解決する紛争も多い。また最近では，裁判外の紛争処理手続（ADR: Alternative Dispute Resolution）の積極的な活用が図られている。その1つのメリットは，判決手続よりも柔軟な判断ができることである。要するに，民事裁判では，法律を厳格に適用しない解決方法で紛争が終結することがよくある。そのような紛争解決の方法も，私的自治の範囲内で許されるものとされている。

以前は，そうした白黒はっきりつけない紛争解決を好むのは，日本人の法意識・権利意識の欠如の現れであり，前近代的な社会だからであると批判されてもいたが，最近では，そうした解決方法はべつに欧米でもそれほど珍しいことではないといった指摘もある。たとえば，継続的な取引関係にある相手方との紛争などは，判決で勝ち負けを決めてけんか別れするよりも，適当なところで妥協して仲直りし，取引関係を続けた方が，かえって合理的な場合もあるわけである。

民法が規律するのは，私たちの市民生活，つまり市民の日常の生活や取引，家族関係といったプライベートな領域（私事）である。そうした日常の市民生活で生じるいざこざは，全て裁判によって解決されているわけではない。おそらく，そんな社会は存在しないし，仮にあったとしてもそんな社会には誰も住みたくないだろう。つまり，民事裁判は数ある紛争解決方法の1つにすぎず，唯一最善の選択肢とは限らないのである。民法の解釈を学ぶに当たっては，このことをよく理解しておく必要がある。

（山下）

第 2 節 刑　　法

1　法解釈論の中での，刑法解釈の特殊性

　私の専門が刑法であるため，第 2 章においては，主に刑法を素材とした説明をしてきたが，それらは，他の法分野においても基本的には，同じように当てはまるものである。しかし，そこでも示唆したが，刑法に固有の解釈手法もある。以下では，そうした意味での，刑法解釈の特色を見ていきたい。

2　類推解釈の禁止

　第 2 章でも見たように，刑法 199 条にいう「人」は「自然人」に限られるが，自然人という概念も，それほど簡単ではない。たとえば，数日後，出産が予定されている胎児は，生物学的には，生まれた直後の嬰児とほとんど一緒の存在ではある（日常用語でも，どちらも「赤ちゃん」と呼ぶではないか）。では，そのような胎児を，何らかの手段で殺したら殺人罪なのだろうか？　実は，そうではない。そういった場合は，堕胎罪（212 条以下）で処罰されているのである（これも体系的解釈の一種といえる）。

　そうした条文を見ていただければわかると思うが，堕胎罪の成立範囲は，相当に限定されている。①過失犯の処罰規定がなく（これに対し，殺人罪に対応する過失犯として，過失致死罪があるというのは，第 2 章 2 の通り），②未遂犯（つまり堕胎しようとしたけれど，結果的に失敗した場合）も，215 条を除き処罰されていない。さらに，③法定刑が殺人罪よりも，かなり軽いという点も無視できない。

　しかし，もし，実態がほとんど変わらないにもかかわらず，そのような差異が生じてしまうのであれば，それは「同じ物は同じに扱う」という，法律の根本にある平等性の原則に照らして，おかしいともいえそうである。

　実は，この点において，刑事法学とそれ以外の法分野では，思考方法が異なる。後者においては，しばしば**類推**という手法がとられる（→第 1 節 2）。すな

わち，条文がAを予定しており，BはAには当たらないが，条文の趣旨に照らすと，Bについても，それが当てはまるから，BもAと同様に扱うべきだ，というのである。

　たとえば，詳しくは第2部第7章第2節を読んでほしいが，民法94条2項は，通謀虚偽表示が善意の第三者に対抗できないとしている。これは，条文の上では，権利者Aと権利者であるかのような外観を有するBとの間に通謀がある場合であってはじめて適用できるようにも思えるが，民法の判例・多数説は，AがBのそうした権利者らしい外観を知りながら放置していた場合であっても，Bのそうした外観を信頼してBと取引したCを保護するとしている。

　しかし，刑法解釈では，そのような手法は，被告人に不利益な方向（つまり積極的に処罰する方向）では，採用することができないというのが一般的な理解である。その理由は，憲法上の要請として，**罪刑法定主義**が予定されているからである（憲31条）。

　どういうことか。罪刑法定主義というのは，簡単にいえば，犯「罪」と「刑」罰の大枠は法律で定めなければならない，という原則のことである。これは，国民から選挙で選ばれた，その代表者が作ったルールによってしか処罰されるべきではないという民主主義的な観点と，あらかじめルールが定められていないのに処罰されるのでは，国民が何をすべきでないのかがわからず，その行動の自由が害される，という自由主義的な観点に基づく。

　ところで「類推」は，問題となっている概念Xが，条文上の概念であるYには当たらないことを前提としている。同じではないからこそ，「似ている」というのである。しかし，それは「条文で処罰の対象となっていないけれど，似たものだから処罰する」という論理であり，「罪」の法定に正面から反してしまう。しかも，その論理だと，条文の趣旨に照らし，何らかの類似性が見いだせる場合であれば処罰されるので，その範囲がいったいどこまで及ぶのかも，曖昧になりがちである。先ほどの例でも，仮に，出生数日前の胎児が「人」だとすると，では1ヶ月前は？　2ヶ月前は？　……と，そもそも限界は見いだせなくなってしまう。

　そこで，刑罰という国家が用いる最も強力な手段（人々の自由を，場合によっては，その生命すら合法に奪うことができる）を用いるための要件である，犯罪の

成否を判断するに当たっては，このような解釈手法を用いることは禁止されているのである。

　人と胎児とがはっきり区別されている以上，いくら出生直前であっても，胎児は人ではない，と解釈せざるをえない理由は，ここにある（なお，これとは逆に，類推によって被告人に有利になる場合については，国民の行動の自由を害するわけではないから許される，という見解が一般的である〔たとえば，判例は否定しているが（最決平成18・8・30刑集60巻6号479頁），学説の中には，親族相盗例（244条1項）は，内縁関係にある者についても類推適用できる，とするものがある〕。ただし，民主主義的観点から見て，被告人に有利な場合であっても，そこには一定の限界がある，という議論もある）。

3　拡張解釈と縮小解釈

(1)　処罰を広げる方向での拡張解釈

　もっとも，このことは，犯罪成立要件については，全て日常用語に従った「文理解釈」（第2章4参照）をしなければいけないということまでは意味しない。そもそも，日常用語といっても，しばしば多義的だし，それから法律用語には，日常用語ではない言葉も使われているから（たとえば，「焼損」などという言葉は，放火罪の条文〔108条以下〕以外で見たことがないだろう），解釈は常にといってよいほど，必要なのである。

　このようにして，犯罪成立要件についても，言葉の通常の意味から若干離れるが，その範囲を若干広げる解釈，拡張解釈は許されるとされている。

　たとえば，人に「暴行を加え」ると，暴行罪（208条）が成立するが，「暴行」とは，通常の意味では殴る，蹴る等，相手に直接，物理力・有形力を行使することを意味するだろう。しかし，下級審判例においては，たとえば，相手にぶつけるつもりはなく，驚かすつもりで，相手の数歩手前に投石する行為も，「暴行」に当たるとされている（東京高判昭和25・6・10高刑集3巻2号222頁）。これは，暴行という概念の中核部分からは外れるが，暴行であると辛うじていえる，いわば概念の周辺部分には含まれる場合といえよう。

　また，「人を殺」す（199条）というと，通常，ナイフで刺すとか，銃撃する

といったように，積極的に手を下して殺す場合を意味するが，「親が乳児に食事を与えず『見殺しに』する」という表現が成り立ちうることからもわかるように，救助すべき義務のある者が，相手を放置して死に至らしめる場合も含まれる（これを「不真正不作為犯」という。詳しくは，→第2部第8章第3節）。このような解釈も，（異論はあるものの）一般的には，こうした拡張解釈に位置づけられる（ただし，問題は，この先，つまりこうした不真正不作為犯の具体的な成立範囲をどのようにすべきか，という点にあり，この点については，この節の最後で見る問題と同様に，明文の規定がないだけに，実に多様な解釈論が展開されている。→第2部第8章第3節）。

　もっとも，このような拡張解釈には限界がある。もしそうした限界を設けなければ，先ほどの類推解釈を認めたことと，実質的に同じになってしまい，類推解釈を禁止した趣旨が損なわれてしまうからである。そこで，学説においては，拡張解釈は，「言葉の可能な意味の範囲内」・「法文の文言の枠内」でなければならないとする見解が一般的である（たとえば，山口・総論14頁。この言葉がわかりにくければ，もう1度，第2章3(3)を見てほしい）。こうした観点から見ると，日本の判例には，拡張解釈の形を取りながら，実際には，類推に近い判断をしているものも，見受けられる。たとえば，動物傷害罪（261条）という罪がある。これは広い意味では，器物損壊罪（261条）だが，「他人の物を損壊し，又は傷害した」という条文で，物の「損壊」と並んで規定されている「傷害」は，厳密には動物に対する行為であり，そちらは，動物傷害罪と呼ばれる。その保護法益は，動物の利益ではなく，動物を飼っている所有者による動物に対する所有権の行使が妨げられないという利益である。判例には，ここにいう「傷害」を，動物の（所有者にとっての）効用を害する行為と定義した上で，飼われていた鯉を逃がすことも本罪に当たるとするものがあるが（大判明治44・2・7刑録17輯197頁），この解釈には，やや疑問がある。鯉を逃がすことは，「傷害」の言葉の可能な意味の範囲内にあるとはいえないのではないだろうか。確かに，被害者として見れば，鯉を殺されたとしても，鯉を逃がされたとしても，鯉を飼う利益を害されたことに変わりはないが，それだけを理由に処罰するのでは，類推になってしまう。「逃がす」ことをも，「傷害」という文理に含みうるかが問題であり，それはやはり，やや無理があるように思われる。

(2) 縮小解釈

他方，条文を素直に読めば，そこに書いてある概念に当たる（あるいは，当たる可能性がある）が，実際の裁判においては，そのような解釈がなされていない場合もある。たとえば，95条の公務執行妨害罪は，「公務」すなわち公務員の職務を，暴行・脅迫により妨害した行為を処罰している。「公務」という概念は，広く公務員が行う仕事を意味するが，ここにいう公務は「公務員が『適法に』」行う公務を意味するというのが，通説である（判例も，そのような解釈を前提としている〔たとえば，大判大正7・5・14刑録24輯605頁〕）。それは，「公務」という文理から，直ちに導かれる解釈ではない。しかし，通説は，このような解釈は，法治国家においては，法秩序にかなった公務のみが保護に値するというべきであるという観点から実質的に正当であるし，このような解釈によって，被告人にとって予想外の不利益を課すこともないとして，このような縮小解釈を支持している。

4 刑法解釈の「体系性」

(1) 刑法が「体系的」といわれることの意味

ここまでは，刑法の解釈に当たっての，いわば特殊ルールについて説明してきた。以下では，そうした特殊ルールとはいえないが，刑法の解釈において，特に顕著に見受けられる傾向，あるいは，そのような傾向があるといわれていることについて取り上げ，検討を加えたい。

まず，**刑法の体系性**という話である。皆さんは，刑法の先生から，「刑法では体系的な理解が特に重要」と言われたことがあるかもしれない。しかし，第1節で書かれているように，民法でも体系的な理解が重要なのは当然である。むしろ逆に，刑法典は，民法典のような意味では，重畳的な体系を構成していない。刑法典は，第1編「総則」，第2編「罪」にしか分かれておらず，「総則」のルールが，「罪」の解釈にも適用されるという，その意味では，非常にシンプルな構造を持つ。

しかし，それでは，刑法において，それにもかかわらず，なぜ「体系」を意識しなければいけないのだろうか……よくわからなくなってきた人もいるかも

しれない。

　実は，その先生が用いた「体系的」は，これまで論じられてきたのと，2つの意味で異なる。以下，それらの点について簡単に補足しよう。

(2) 解釈で「総則」を作り出している場面が多い

　まず，民法での議論に近い話からしよう。刑法典自体は，非常にシンプルな構造なのだが，学説においては，複数の犯罪に共通する要素を見出して，それを，それらの犯罪のいわば総則としてくくりだす作業を行う場合が，しばしばある。それは，次のような場合である。

　たとえば，窃盗罪の条文である235条の「他人の財物」や横領罪の条文である252条の「他人の物」については，財物や物の「他人」性の判断基準が問題となり，そこでは，この判断が，民法上の所有権の帰属によって決せられるべきか否かが議論される。また，242条は，「自己の財物」であっても，それを「他人が占有」しているときは「他人の財物」とみなすと定め，自己物についても窃盗罪の成立を認めるが，そこでは本条にいう「占有」が行為者に対して財物の引渡しを拒む民法上の権利に基づいていなければならないかが議論される（→第2部第8章第1節1）。さらに，金銭債権の債権者が，履行を遅滞している債務者を脅して弁済させた場合，その債権者に恐喝罪（249条1項）が成立するかという問題は，民法上の正当な権利の実行のために恐喝の手段を用いたことをどう考えるかという点に帰着する。実は，これらの問題は，いずれも，「財産犯の成否を考える場面で，民事法上の権利関係を，どのように考慮すべきか」という点で，共通している。このため，学説においては，これらの問題を「財産犯の保護法益」という表題の下で，いわば**財産犯の総論**として議論することが多い。

　このような意味で，刑法学においては，民法では法典化されているような体系を，解釈によって作り出す場合が多いのである。

　そして，このような作業があくまで解釈論として行われるため，法典化されている場合とは異なり，その内容について争いの余地が生じる。このため，刑法においては，体系的な議論がなされることが多いと感じられるのである。

　たとえば，民法において契約総則のルールが賃貸借や売買に原則として当て

はまることに異論はないだろう。しかし，先に見た金銭債権の行使と恐喝罪の成否と，242条の解釈とが，どのような意味で共通し，逆にどのような点に違いがあるのか，といった問題は，法典において定められていない以上，それ自体として学説における争点となっているのである。

5　いわゆる「犯罪論の体系」

　第2に，刑法においては，体系という言葉が，いわゆる**「犯罪論の体系」**という極めて特殊な意味で用いられる場合があることを意識してほしい。犯罪論の体系とは，「刑法総則の規定を基礎に犯罪成立の一般的要件を検討する」（西田・総論65頁）ことを通じて示された犯罪成立に関する一般的要件のことである。

　そこには，論者が考える「犯罪」の一般的概念が，どのようなものであるか，そして，①どのような要素が，②どのような理由で，③どのような段階で判断されるべきか，が示されている。

　犯罪の一般的定義について，現在の通説は，「構成要件に該当する違法で有責な行為」としている（西田・総論65頁，井田・総論77頁。通常は知らなくてもよいが，実は，これについてすら，異なる定義をする学説もある）。

　構成要件というと，通常の法律分野では，一定の効果を導くための要件を意味するが（→第1章3），刑法では，これまたやや特殊な意味で用いられている。刑法では，構成要件とは，「立法者が犯罪として法律上規定した行為の類型」をいうとされる（山口・総論27頁）が，ある犯罪の構成要件に該当する，ということは，直ちにその犯罪が成立するということを意味しない。たとえば，人を故意に殺した（199条・38条1項）場合であっても，無罪となる余地はある。

　たとえば，正当防衛（36条1項）で違法性がない（阻却される）場合，責任無能力（39条1項）で責任がない（阻却される）場合がそれであり（これらをそれぞれ違法阻却事由，責任阻却事由という），その余地が残されているからこそ，犯罪は，構成要件に該当する「違法で有責な」行為と定義されているのである。

　なぜ，このように回りくどいことをするのか。第1に，なぜ構成要件と阻却事由を分けるのか，第2に，なぜ阻却事由を違法と有責とに分けるのか，疑問に思った方がいるかもしれない。

まず，第１の点については，(異論もあるが)多数説は，次のように考える。罪刑法定主義が重視されるべき刑法の解釈においては，違法性，責任といった，ある意味，条文を離れた実質的な判断を行う前に，まずは，条文の解釈によって導かれる犯罪の「型」に当たるか否かを判断すべきである。いきなり実質判断を正面から行うと，判断が不明確になりがちであり，犯罪の成否についての判断が不明確になることは，国民の予測可能性の観点から望ましくないから，まず「型」に当たるかを見よう，というわけである。

　第２の点については，どちらも刑法第１編第７章「犯罪の不成立及び刑の減免」に書かれているのに，どうして区別しなければいけないのかと疑問に思う人もいるかもしれない。両者の区別は，次のような理由に基づく。あえて単純化していえば，刑法は，「悪いこと」をした「悪い奴」に対し，法的な非難を加える（そのことによって，社会における「悪いこと」を減らす）ための法律である。つまり，違法とは，「悪いこと」をしたと評価できる場合であり，責任とは，「悪いこと」をしたことが「法的な非難」に値する場合である。そして，「悪いこと」であっても，それを引き起こしたことを「非難」できない場合もあるのである。

　たとえば，「正当」防衛で人を殺すことは，そもそも「悪いこと」ではない。悪いのは，むしろ先に攻撃してきた者だからである（逆に言えば，そのようにいえない場合には正当防衛は成立しない）。それゆえ，正当防衛に当たる行為は，違法ではない（違法性が阻却される）。他方，責任無能力者，たとえば重い統合失調症患者が精神の障害により，行為の違法性を弁識し，その弁識に従って行動を制御する能力を欠く状態で人を殺した場合，責任無能力（心神喪失）（39条１項）として，不可罰となるが，それは，「悪いこと」ではあっても，それをした行為者を「非難する」ことができないからである。すなわち，悪いのは，行為者自身というよりも病気であり，人を殺した行為者を責めることはできない。それゆえ，責任無能力に当たる行為は，違法ではあるが，有責ではない（責任が阻却される）。もっとも，このように行為者を非難することができない行為であっても，被害者が殺された事実は，社会にとって悪いことであることは間違いないだろう。現に，こうした場合には，心神喪失等の状態で重大な他害行為を行った者の医療及び観察等に関する法律（心神喪失者等医療観察法）に基づい

て，行為者を強制入院・通院させ，治療を義務づけることが認められているが，それは，こうした行為が，悪いことであるからに他ならない（悪いことをしていないのに，入院・医療を強制されるのは，明らかにおかしい）。

　これだけでも，それなりにややこしい話なのだが，問題をさらに複雑にするのは，以上のような構成要件・違法・有責を区別するという議論が，いわば「器」に関する議論であったのに加え，さらに，器の中身に何を盛り込むか——つまり，構成要件とは何か，違法とは何か，責任とは何かについて，学説が様々に対立していることである。

　もちろん，刑法の総則には，犯罪の成否に関する条文が，いくつも存在しており，刑法学もその解釈学である以上，そのような議論に一定の限界があることは確かである。たとえば，Xが，Xを殺害しようとするYに追いかけられて必死に逃げる途中で，通行人Aが邪魔だったため突き飛ばし，転倒したAに重傷を負わせた場合，Xは処罰されるべきか。法律を知らない人の間では，もしかしたら意見が分かれるかもしれないが，この場合には，緊急避難（37条1項前段）の規定をどのように解釈したとしても，それに当たり，そこでは「罰しない」とされている。このため，Xを有罪とする解釈は，不可能である。

　しかし，そのような場合は，決して多くない。刑法典総則のうち，犯罪の成否にかかわる条文は，数え方にもよるが，わずか13か条程度にすぎない（13か条という数え方は，35条・36条・37条・38条・39条・41条・43条・44条・60条・61条・62条・64条・65条である。もっとも，学者によっては，若干の差異があるかもしれない）。これは，たとえば，民法や会社法の総則と比べ，異常なまでに少ないといわざるをえない。

　このため刑法総則の解釈においては，解釈の余地が大きい。しかも，問題はそれだけではない。犯罪とは何か，という問いは，しばしば法哲学においても問題とされ，大げさにいえば，人類の歴史とともにあるといっても過言ではない。それに対する回答は，非常に多様なものとなりえよう。そのような，評価が分かれうる分野において，ごくわずかな条文しかなければ，議論が百家争鳴となるのは，ある意味当然とすらいえるのである。

　一例として，ある判例を挙げよう。これは，違法性阻却，つまり，処罰を基礎づける条文に一応当たるのだが，それにもかかわらず，例外的に世の中にと

って害悪とはいえない場合に当たるかどうかが問題とされた判例である。事案は，ある新聞記者が，沖縄返還に関する秘密電文を，女性の外務省職員を唆(そそのか)して漏示させた行為が，国家公務員法違反（国家公務員に対する秘密漏示の唆し）に問われたものである（最決昭和 53・5・31 刑集 32 巻 3 号 457 頁）。最高裁は，被告人の行為が同罪の構成要件に該当することを認めた上で，違法性阻却について，次のように述べた。これについては，事実関係が重要なので，やや長くなるが，決定要旨を引用する。

「報道機関の国政に関する報道は，民主主義社会において，国民が国政に関与するにつき，重要な判断の資料を提供し，いわゆる国民の知る権利に奉仕するものであるから，報道の自由は，憲法 21 条が保障する表現の自由のうちでも特に重要なものであり，また，このような報道が正しい内容をもつためには，報道のための取材の自由もまた，憲法 21 条の精神に照らし，十分尊重に値するものといわなければならない……報道機関の国政に関する取材行為は，国家秘密の探知という点で公務員の守秘義務と対立拮抗するものであり，時としては誘導・唆誘的性質を伴うものであるから，報道機関が取材の目的で公務員に対し秘密を漏示するようにそそのかしたからといって，そのことだけで，直ちに当該行為の違法性が推定されるものと解するのは相当ではなく，報道機関が公務員に対し根気強く執拗に説得ないし要請を続けることは，それが真に報道の目的からでたものであり，その手段・方法が法秩序全体の精神に照らし相当なものとして社会観念上是認されるものである限りは，実質的に違法性を欠き正当な業務行為というべきである。しかしながら，報道機関といえども，取材に関し他人の権利・自由を不当に侵害することのできる特権を有するものでないことはいうまでもなく，取材の手段・方法が贈賄，脅迫，強要等の一般の刑罰法令に触れる行為を伴う場合は勿論，その手段・方法が一般の刑罰法令に触れないものであっても，取材対象者の個人としての人格の尊厳を著しく蹂躙する等法秩序全体の精神に照らし社会観念上是認することのできない態様のものである場合にも，正当な取材活動の範囲を逸脱し違法性を帯びるものといわなければならない。これを本件についてみると原判決及び記録によれば，被告人は，昭和 46 年 5 月 18 日頃，従前それほど親交のあったわけでもなく，また愛

情を寄せていたものでもない秘書Xをはじめて誘って一夕の酒食を共にしたうえ、かなり強引に同女と肉体関係をもち、さらに、同月22日原判示『ホテルA』に誘って再び肉体関係をもった直後に、前記のように秘密文書の持出しを依頼して懇願し、Xの一応の受諾を得、さらに、電話でその決断を促し、その後もXとの関係を継続して、Xが被告人との右関係のため、その依頼を拒み難い心理状態になったのに乗じ、以後十数回にわたり秘密文書の持出しをさせていたもので、本件そそのかし行為もその一環としてなされたものであるところ、同年6月17日いわゆる沖縄返還協定が締結され、もはや取材の必要がなくなり、同月28日被告人が渡米して8月上旬帰国した後は、Xに対する態度を急変して他人行儀となり、Xとの関係も立消えとなり、加えて、被告人は、本件……電信文案については、その情報源が外務省内部の特定の者にあることが容易に判明するようなその写を国会議員に交付していることなどが認められる。そのような被告人の一連の行為を通じてみるに、<u>被告人は、当初から秘密文書を入手するための手段として利用する意図でXと肉体関係を持ち、Xが右関係のため被告人の依頼を拒み難い心理状態に陥ったことに乗じて秘密文書を持ち出させたが、Xを利用する必要がなくなるや、Xとの右関係を消滅させてその後は同女を顧みなくなったものであって、取材対象者であるXの個人としての人格の尊厳を著しく蹂躙したものといわざるをえず、このような被告人の取材行為は、その手段・方法において法秩序全体の精神に照らし社会観念上、到底是認することのできない不相当なものであるから、正当な取材活動の範囲を逸脱しているものというべきである</u>」。(下線部分は筆者)

どう思われただろうか。この判断に納得された方もいるかもしれない。「取材活動の一環とはいっても、女性を手段として利用し、その気持ちを踏みにじるなんて、とんでもない!」と(A)。その感覚もわからないではないが、一方で、「大人同士の恋愛あるいは疑似恋愛に、何らかの駆け引きがあったからといって、それが『人格の尊厳を蹂躙』というのは、大げさだよなあ」と思った人もいるかもしれない(B。スタンダールの『赤と黒』で、ジュリアン・ソレルに共感するタイプであろう)、逆に、「人格の尊厳を蹂躙」していて、ひどいとは思うけれど、それがなぜ、国家公務員法違反で処罰することの根拠となるのか

(その保護している利益は，国家の秘密であって国家公務員の人格の尊厳ではない）を疑問に思った方もいるかもしれない（C）。

そして，こうした考え方のいずれが正しいかについて，刑法は何も語っていないのである。取材の自由をどこまで認めるべきかについて正面から規定した条文は，刑法典をいくら探しても見つからない。この場合，違法性阻却を認める根拠となる条文は35条であるが，それは「正当な」業務行為は，罰しないとするだけで，上に見た様々な考え方のいずれが正しいかを決めるものではない。何が「正当か」こそが問題なのである。

おそらく，皆さんは，上の考え方のうち，自分の考えとは違うものにも，それなりに理由はあるな，と思えるのではないだろうか。

このような考え方の対立，すなわち，一般化していえば，①その罪で保護されている利益以外の利益が害されていることを理由に違法性阻却の範囲を狭めてよいのか（A・BとCの対立点），②それが可能としても，どのような利益の侵害であれば，その理由としてよいのか（AとBとの対立点），という議論は，実は，いろいろな場面で問題となる。たとえば，判例（最決昭和55・11・13刑集34巻6号396頁）は，過失によって起こした自動車事故を装って保険金を騙し取る目的で，被害者の承諾のもと，故意に自動車事故を起こして，彼に傷害を負わせたという事案について，「右承諾は，保険金を騙取するという違法な目的に利用するために得られた違法なものであって，これによって当該傷害行為の違法性を阻却するものではない」と判示している。これは，傷害罪の成立が被害者の同意という違法阻却事由によって否定される範囲をめぐる議論であるが，ここでも，やはり，上記①②と同じことが問題となるのである。その理由については，各自考えてみてほしい。

この問題の中身，つまり①②を，どのように考えるべきかを，さらに検討していくと，それ自体（きっとこの本よりもずっと分厚い）本になってしまう。だから，この問題には，これ以上は踏み込まない。

この本の読者にとって重要なのは，先の議論を，このような形で一般化できるのであれば，これは「総論」の問題となる，ということである。すなわち，ここでは，わずかな条文の解釈から，「刑法総則」について，より具体的で，より充実した中身を作り出そうとするための議論が行われているのである。

なお，このようにいうと，本節4(2)の議論との区別がわからなくなってきた人もいるかもしれないが，両者はやはり異なる。すなわち，4(2)における「解釈によって，財産犯総論を作り出す」という議論は，民法になぞらえれば，たとえば，売買や賃貸借などの個々の契約類型に関するルールのみが規定され，契約に関する総則規定がないという（架空の）状況下で，契約一般に当てはまるルール＝契約総論を解釈によって作り出すという類の議論である。

　これに対し，ここでの議論——違法阻却事由に関する数少ない規定の1つである「正当業務行為」における「正当」の意義を①②の検討によって明らかにするという議論——は，民法になぞらえれば，民法総則の条文が，現行法よりもはるかに少ないという（架空の）状況下で，問題解決のために少ない総則の条文の意義を解釈によって具体的に明らかにせねばならないという要請に直面し，その手がかりとなるような「理論的補助線の引き方」を考えるという類の議論である。

6　この節の終わりに

　刑法の授業を聞いていて，なんだかわけがわからない，と思ったとき，この記述を思い出し，いまの議論が，ここまで見たいずれに当たるのかを，考えてみてほしい。その際，民法における議論との対比は，非常に有用である。この節を読まれたことによって，皆さんの刑法総論の理解が，少しでも容易になってほしいな，と，大学3年生のころまでは，刑法総論が大の苦手だった私は，強く願っている。

（島田）

第3節 憲　　法

1　憲法の条文と内容

　読者の皆さんの多くは，小学校から高校までの社会科の学習で，憲法の条文とその内容を覚え（させられ）たことがあるだろう。まずはその時のことを思い出してみよう。日本国憲法は，前文と 103 条の条文からなっている。皆さんが高校生の頃までは，とても多くの条文がある，「立派な」法律のように憲法を感じたかもしれない（特に社会科・公民の試験の前には）。しかし実際には，同じく私たちの社会生活の基本的ルールを定めている民法や刑法と比べると，憲法の規定はとてもわずかしかなく，簡潔である。その反面，憲法の内容が，**統治機構**と**基本的人権**の保障という 2 つの部分からなることも，既に学んできたことだろう。統治機構は，社会を運営するためのしくみとして，民主主義（国民主権）と権力分立を定めており，基本的人権は，個人としての生き方に必要な人権に関わるものである。

2　憲法の解釈は難しい

　このように，わずかな条文で政治のあり方や個人の生き方について定めるということは，それだけいっそう，憲法の解釈という作業が重要であり，しかも厄介な作業だということでもある。国家は現在，様々な分野で活動し，複雑な課題を処理している。国民の人権に関する問題も，様々である。そうした政治のあり方や個人の生き方を，たかだか 103 条の条文からなる憲法で規律し尽くすことなど，できはしない。たくさんの法律が制定され六法全書に収められているのは，そうした問題を具体的に扱うためである。

　だから憲法の規定は，他の法律の規定に比べても，非常に抽象的であり，それだけ憲法の解釈は困難さを増すことになる。しかも統治機構に関する規定の解釈は，国家機関同士の縄張り争いや，政党・政治家同士の権力闘争にも関わ

ることになる。それから、私たちの社会では個人の生き方や社会のあり方について様々な思想・価値観が対立し競合しているので、人権規定の解釈は自ずとそうした対立・競合に関わることにもなる。

3 憲法の解釈は「床屋談義」？

いま憲法の解釈の難しさについて触れたが、それとは逆に、一見すると憲法の解釈は何でもいえそうだ、簡単そうだという問題も、実はある。先ほどの憲法の位置づけからすると、憲法は国民にとって身近なものでなければならず、実際にもそのようにこれまで学校で教わってきたはずである。一般に、法律問題は難しいから専門家に任せておこうという傾向が強いが、憲法だけは首相の資質や税金問題のように、誰もが議論できる、いわば「床屋談義」の対象になりやすい。それは他の法分野と違う憲法の特徴である。

しかし、だからといって、憲法が、その人の政治的立場や価値観によって、何とでも解釈できるということにはならない。むしろ憲法も法の1つであるからこそ、他の法の解釈と共通する一般的な原則に従って、解釈されなければならない。あくまで法解釈としての作業の中で、憲法に特有の事情が考慮されなければ、法の解釈の名に値しない。そうでなければ、それは憲法の解釈ではなく、憲法の名を借りた、ただの政治的主張でしかなくなり、ひいては憲法そのものの意義を傷つけてしまうことにもなるのである。

ここでは1つだけ例を挙げてみよう。たとえば、憲法は「営業の自由」を保障している、といわれる。「営業」とは読んで字の如く営利を業として営むことだから、典型的には株式会社のような企業（営利企業）の自由な企業活動を認めるのが、「営業の自由」である。しかし、そこから進んで、かつて非常に素朴な形で「自由な企業活動を制限している独占禁止法は、憲法違反だ」というような声が上がったことがあった。たとえば企業側にとっては、自由な活動を制限する法律は、目の上のタンコブで、煩わしいだろう。しかし、だからといってそうした政治的・経済的・社会的な主張や願望が全て、直ちに憲法の解釈として筋が通ったものになる、というわけではない。憲法のどの条文が、何のために、いかなる内容のものとして営業の自由を保障しているのか、その制

限は全く許されないのか，許されるとすればどのような場合かという一般的な見方から（→第2部第9章第2節），独占禁止法の条文やしくみのどこが，憲法の保障に反し許されないのかを，説得力を持って，しかも他の営業の自由の制限や人権の制限一般とも整合する形で，議論しなければ，およそ法の「解釈」の名に値しないものになってしまう。

4　比較憲法・憲法史とバランス感覚

　もちろん，憲法の特殊性を考慮しながら法解釈としての筋を通すということは，「言うは易く，行うは難し」である。その具体例は第2部第9章でご覧いただくこととして，ここでは2つだけポイントを挙げておこう。

　第1に，憲法の解釈では，イギリス・アメリカ・ドイツ・フランス等の憲法の知識・理解や，憲法に関する政治的重大事件やその背景に関する歴史，さらにロック・モンテスキュー・ルソーなどの著名な思想家たちの議論が，重要な役割を果たしている。条文が抽象的で漠然としていることからすると，とりわけ制度の歴史的背景を知ることが，その条文や制度を解釈する上で，決定的なヒントになることが多い（→第2部第9章第1節）。

　第2に，憲法とりわけ人権の解釈では，規制される人権とそれを規制する公的な利益の間のバランスが求められる。ただし，法律家に求められるバランス感覚とは，事件ごとの「落としどころ」ではなくて，法分野の特性に応じ，かつ一貫性が求められる。特に人権の場合には，普通の法解釈では不問に付されることの多い，裁判官という主体をも視野に入れながら，バランスの取り方それ自体が，解釈論を組み立てる際に取り込まれることが多い（→第2部第9章第2節）。

　　　　　　　　　　　　　　　　　　　　　　　　　　　　（宍戸）

第4章

法解釈と利益衡量論

第1節　紛争解決手段としての法解釈

1　ここまでのまとめ

　ここまで，法を解釈するとはどういうことかについて，法律の条文の解釈を中心に説明をしてきた。条文の解釈は法解釈の基本であるが，全てではない。そこでここからは，より広く法解釈一般について考えてみたい。最初に，ここまでの説明を振り返りながら，法の解釈とはどういう作業なのかをまとめてみよう。

　法の解釈は，法的紛争解決の手段である。法的な紛争解決の特徴は，法というルールにより，法的三段論法を使って問題を解決するという点にある（→Introduction）。法律とは，そのようなルールを立法機関（国会）が条文という形式で書き表し，体系的に整理したものである（→第5章2）。

　しかし，現実の紛争を解決する際には，条文には直接に書いていないことが問題となることがある。条文の言葉の文理だけからは必ずしも答えが定まらない場合に，立法者の意思や，法律の目的を考えて，答えを探そうとする。具体的には，条文の言葉を通常の意味より広げて読んだり，狭めて読んだりすることが行われる。このようにして条文からルールをとりだす作業が，条文を解釈するということである（→第2章）。

　ただし，法律の分野によって，条文の解釈方法などには差が見られる。これはそれぞれの法律の目的やつくりが異なるからである。民事事件を扱う民法は条文の数が最も多く，条文の解釈について柔軟な態度をとる。刑事事件を扱う

刑法は条文の数は中くらいで、条文の解釈について厳格な態度をとる。憲法は最も条文数が少ないが、条文の解釈には幅広い政治や歴史の理解が必要となる（→第3章）。

このように見てみると、条文の解釈方法に分野ごとの違いはあるものの、条文の解釈という作業の重要性は、条文からは紛争解決のためのルール内容が一義的に決まらない場合に、その問題を解決するための妥当なルールを確定しようとする点にあるといえる。

ところで、このような紛争解決のためのルールの確定という作業をするとき、そのために解釈される「法」は、法律の条文とは限らない。法律家は、法律の条文の他にも慣習や条理といった不文の「法」を解釈してルールを確定することがある（ここでの「法」を法源という。詳しくは第5章で説明する）。

つまり、法の解釈という作業（そこには条文の解釈も含まれる）は、ある「法」から紛争解決のためのルールを確定する作業ということになる。

2　裁判所による法的ルール確定の意味

法を解釈するということが、ルールを確定する作業であるということは、裁判所には、ルールを確定する権限が与えられているということだ。これは、法のルールを作るのは立法機関（国会）の役割であり、司法機関（裁判所）はそこで作られたルールを実際の事件に適用する役割だけを担っているといった、権力分立についての単純なものの見方が不可能であることを示している。

もちろん、国会により立法された法律の条文に不明確な点がなければ、法のルールは条文通りに裁判所によって確定される。このような場合は、国会がルールを作り、裁判所はそのルールを実際の事件に適用しているだけということになる。しかし、国会の作った法律の条文には直接に書かれていないことが問題となる場合には、裁判所が条文を解釈してルールを確定する。場合によっては、裁判所で裁判官がルールを作っているという見方もできるわけである。

ただし、裁判官が解釈によりルールを導き出す際の自由度は、解釈の対象となる法律によっても異なる。民法の解釈は比較的自由なのに対して（→第3章第1節）、罪刑法定主義が大原則とされる刑法の解釈は厳格に行われる（→第3

51

章第 2 節）ことに注意しよう。

3　正しい法解釈は存在するか？

　以上のような点と関連するのが，「**正しい法解釈は存在するか？**」という問題である。この点については，様々な立場の人が様々な議論をしており，あまり軽々に扱うことはできないのだが，法解釈を学ぶ上で重要な問題なので，ここで簡単に解説しておこう。

　かつては，正しい法解釈が存在することは，法律家にとって自明のことだった。それは神の摂理など永遠の真理から導かれるルールであったり，あるいは立法者の意図したルールであったりするが，正しい法解釈とは，そのような既にあるルールを発見することであるという建前が存在した。このような建前は，裁判所の役割はルールを適用することであって，ルールを創設することではないという考え方と密接に結びついていたのである。

　ところが，19 世紀から 20 世紀にかけて，そのような意味での法解釈の正しさというものが，次第に疑われるようになった。たとえば，**ホームズ**というアメリカ合衆国の有名な裁判官は，「法の生命は論理ではなく経験である」と主張した。裁判官は論理によって法を導くのではなく，自らの経験に基づき判断を下しているというのである。ドイツやフランスでも，法解釈が単なるルールの発見であるという建前は疑われるようになり，その影響は 20 世紀の日本の解釈学にも大きく及んでいる。

　このような，正しい法解釈の存在を疑問視する主張は，裁判所の政治的な正当性や中立性を批判する少し過激な主張と結びつくことがある。個々の裁判官は，自分の政治的立場や個人的な好みで恣意的に結論を決めているだけで，法解釈はそうした恣意的判断の隠れ蓑にすぎないというような主張である（リアリズム法学・批判法学）。こういう議論はそれ自体重要な意味があるが，この本のテーマとは離れてしまうので，ここでは取り上げない。ここでは，正しい法解釈の存在が自明でなくなったことの，より積極的な意味について説明をしておこう。

　正しい法解釈の存在を自明のことと考えるかつての立場は，条文の解釈にお

いて硬直的な判断を生みやすいという欠点があった。なぜならこの立場では，条文の正しい解釈とは，条文の中から正しいルールを発見することであり，条文には正しいルールが「隠れている」という建前で議論するからである。このため，法解釈においては，条文の真の意味を明らかにするための，抽象的な概念をもちいた理論的分析が重視される。こうした手法は**概念法学**と呼ばれている。

　確かに，条文の解釈において，その文理が重要であることはいうまでもない。しかし，条文の文理には直接書かれていないことが問題となる場合にも，条文だけを分析して正しいルールを発見しようという態度はおかしくないだろうか。それよりも，条文の解釈によりルールが創設されることを正面から認めた上で，その結果導き出されるルールが，社会にとって望ましいものかどうかを，具体的に議論した方がよいのではないだろうか。次に述べる利益衡量による法解釈には，そのような問題意識が反映している。

　　　　　　　　　　　　　　　　　　　　　　　　　　　　　　（山下）

第2節　利益衡量による法解釈

1　利益衡量によるルールの確定

　ある条文を解釈することで，αというルールと，βというルールを導く可能性があるとする。このとき，条文を理論的に分析していずれのルールが正しいルールであるかを確定するのが，概念法学の手法である。これに対して，**利益衡量**とは，αをとることのメリット，βをとることのメリットを，様々な観点から検討した上で，いずれのルールが優れているかを確定する手法である。利益衡量を法解釈の中心に置く立場を利益衡量論という。

　利益衡量によるルール選択という法解釈の手法は，わが国では加藤一郎教授や星野英一教授が積極的に提言し，民法の分野で多くのすぐれた法解釈を行った（星野教授は後で述べる「事案に即した利益衡量」と区別するため「利益考量」という字を当てているが，ここでは「利益衡量」で統一する）。星野教授は，正しい法解釈の存在を信じる立場から，利益衡量の手法を正しいルール発見の手法として提言した。しかし，正しい法解釈の存在を信じるか信じないかにかかわらず，利益衡量は重要な法解釈の手法である。

2　利益衡量による法解釈の例（絶対的構成と相対的構成）

　民法の解釈において，利益衡量が用いられる具体例を挙げよう。Aが，Bと申し合わせ（通謀）して，自らの所有する土地をBに売却するという虚偽の契約書を作り，移転登記を行った。ところが，Bは自分にその土地の所有名義があることを利用して，何も知らないCにその土地を売却してしまったとする。これは典型的な虚偽表示の事例である。民法94条2項によると，虚偽表示をした者は，善意の第三者に意思表示の無効を対抗できない。つまり，Aは，Cに対してBへの土地売却は仮装のものであったと主張できず，Cから土地を取り戻すことはできないことになる。ではその後，Cがこの土地を，Dに売却

したとして，DがAB間の通謀の事実を知っていたとしたらどうだろう。AはDから土地を取り戻すことができるだろうか。

94条2項の文理からすると，虚偽表示による意思表示の無効は，悪意の第三者には対抗できる（反対解釈）。そこで，Dが悪意の第三者であると考えれば，AはDにBへの売却が無効であったことを主張することができ，結果として土地を取り戻せそうである。このように，善意の第三者からの転得者についても，94条2項の規律が及ぶとする解釈を**相対的構成**という。文理解釈としても自然な感じがするし，Dは真の土地所有者がAだと知りながらCから土地を購入しているわけだから，保護に値しないと考えるのである。

しかし，もし相対的構成をとると，困ったことが生じる。CはAから土地を返還せよと請求されても応じる義務はないが，それ以降，その土地を売却する際には，AB間の通謀の事実を知らない人を探してきて，どのような経緯でCがその土地を手に入れたかを隠したまま売却するしかない。もし経緯が知れてしまうと，購入はしてもらえないだろう。購入してもAから取戻しの訴訟を起こされる可能性が高いからである。つまり，Cに不誠実な取引態度を強要することになるのである。

このような弊害を避けるためには，いったん94条2項で保護される「善意の第三者」が出現すると，権利関係はそこで確定し，その後に悪意の第三者が出現しても表意者は虚偽表示による無効を対抗できないと解するしかない。このような解釈を**絶対的構成**といい，通説的な見解である。

ただし，絶対的構成にもデメリットはある。絶対的構成をとると，Aの土地をBから取得したい悪意のDは，何も知らないCを間に挟むことで簡単に94条2項の規律を潜脱できる可能性がある。しかし，そのような弊害は，不動産の流通が阻害されるという相対的構成をとった場合の弊害に比べると小さいし，そのような潜脱行為がなされた場合（これを民法学者は「Cがワラ人形にすぎない場合」という）には絶対的構成をとらないという例外ルールを設けることで対処できそうである。

このように，通説的見解が，相対的構成より絶対的構成を支持する理由は，条文を理論的に分析することから導かれているわけではなく，それぞれのルールを採用した場合のメリット・デメリットを具体的に考えた結果であることが

わかるだろう。これが利益衡量という解釈手法である。

3　様々な利益を考慮したルール選択

　利益衡量において，ルール選択のために比較される「利益」というものは，様々なものがある。上記の94条2項の例では，不動産の円滑な流通や，真の権利者の所有権，悪意の転得者が「ワラ人形」を利用する危険，さらには，条文の文理からどちらが自然な解釈かなどが総合的に考慮された。これらの利益は，社会的なもの，個人的なもの，具体的なもの，抽象的なものというふうに異質な性質のものが混じっていて，厳密な比較が困難なものも少なくない。

　しかし，利益衡量を行うことで，解釈から導かれるルールの優劣を具体的に考えることができる。また，ルール選択の理由が明らかにされることで，解釈の妥当性を後から検証することも可能となる。上記の例をもう一度考えてみよう。絶対的構成をとることの弊害として，悪意の転得者が善意の第三者を「ワラ人形」として間に挟むことで，94条2項の規律を潜脱する危険性が指摘されていた。このような指摘が正しいかどうかは，そうした事例が実際に存在するのかを調べることである程度検証できるだろう。ルール選択の理由を明らかにすることで，その理由が本当に合理的なものかを議論することが可能となるわけである。

4　説得力のある法解釈を目指そう

　このように見てくると，利益衡量という手法は，法解釈の場面において，どのルールを選択するべきなのかについての説得力のある理由づけを提供するための手法であることがわかる。そして，これから法解釈について学ぼうとしている人にとっては，このような説得力のある理由づけの手法を学ぶことが，とても重要である。

　法の解釈適用というのは，議論による紛争解決の手段である。裁判における原告と被告の代理人は，法の解釈により導かれうる複数のルールの中から，それぞれ自分に有利なルールを選択し主張する。その結果，より優れたルールと

考えられるものが裁判官によって採用され，そのルールによって紛争解決が行われるということになる。

　法解釈がこのような過程で用いられるということを考えれば，法曹として，実際に法解釈を行う際に目指すべきなのは，「正しい法解釈」である必要はなく，「より説得力のある法解釈」であればよいことになる。つまり，法解釈の正しさにこだわる必要は必ずしもなく，相手よりも説得力のある理由づけによって，自己に有利なルールを提案することができることが，実際の場面では重要なのである。

　このような「より説得力のある法解釈」ができるようになるためには，あるルールを導くための正当化の根拠を，できるだけ多くの観点から提示できることが望ましい。利益衡量という手法を学ぶことは，これから法解釈について学ぶ人にとって，そのような観点を身につけるための訓練になるのである。

（山下）

第3節　事案に即した利益衡量

1　もう1つの利益衡量

　利益衡量について，もう少し説明を続けよう。ここまで説明してきた利益衡量とは，ある条文から導かれるルールが複数ある場合に，そのいずれを選択するかを考えるための手法としての利益衡量である。しかし，利益衡量にはもう1つの使われ方がある。ここではそれを**「事案に即した利益衡量」**と呼んでおこう。

　事案に即した利益衡量とは，個別の紛争が生じたときに，「原告を勝たせることで守られる利益」，「被告を勝たせることで守られる利益」を考えて，その利益の大きさを比較することで結論を導くという手法である。ルールを選択するためではなくて，結論を導くために利益衡量を用いるのである。

　実際の法解釈において，このような事案に即した利益衡量の必要性が唱えられるのは，明確な法的ルールが立てにくい場面が多い。たとえば，憲法の解釈では，人権の限界を画するために，個別事案に即して利益衡量（人権と公益の比較衡量）の手法が用いられることがある（→第2部第9章第2節）。また，民法の解釈では，信義則や権利濫用（民1条2項・3項）といった一般条項の解釈において，あるいは公害差止訴訟における差止めの可否の判断などにおいて，個別事案に即した利益衡量が行われることがある。つまり，事案に即した利益衡量とは，法的ルールとしてきっちりとした要件を立てにくい場面などに，直接に利益を比較することで結論を導くという手法と考えることができる。

2　解釈論としての「型」

　事案に即した利益衡量の必要性が唱えられるのが，明確な法的ルールが立てにくい場面に限られている理由は，このような判断の仕方が，法的な紛争解決との関係で例外的なものと考えられるからである。「原告を勝たせた場合に得

られる利益」と「被告を勝たせた場合に得られる利益」を比較するということは，「原告と被告のどちらを勝たせた方がよいか」という短絡的な思考につながりやすい。これでは，ルールによって問題を解決するという法的紛争解決の本来のあり方から外れる危険性がある。このため，事案に即した利益衡量は例外的な判断手法と位置づけられるわけである。

したがって，2つの法的な利益が対立し，その調整が問題となる場面でも，原告と被告のどのような利益を比較するのかに応じて，事前に判断の枠組みを作っておくことが望ましい。たとえば，週刊誌などが個人の私生活を暴露する報道をしたため出版社の民事責任が問われるようなケースでは，そこで侵害されたのが個人の社会的評価である場合には名誉毀損の枠組みによって判断され，報道内容が真実であるかどうかが不法行為の成否に大きく影響するが（刑230条の2参照），そこで侵害されたのが個人のプライバシー権である場合にはプライバシー権侵害の枠組みによって判断され，報道内容の私事性が不法行為の成否にとって重要な判断要素となる。いずれも，個人の侵害された利益と，出版社側の表現の自由という利益との対立をどう調整するかが問題となっている場面だが，判断要素を明らかにすることによって，ルールによって問題を解決するという解釈論としての「型」を守っているのである。

3　ルールを尊重する態度

この章では，法解釈とはどのような作業かという問題を，少し理論的な面から検討してみた。一言でいえば，法解釈とは法的なルールを確定する作業である。そして，良い法解釈論をするためには，条文を理論的に分析するだけではなく，ありうる複数のルールについて，それぞれのルールを採用するメリット・デメリットをよく比較検討する必要がある。つまり，良い法解釈論は，より良いルールを選択するよう努めることから生まれるのである。

このことと関連して，特に初学者が心に留めておいてほしいことは，個別の事案で妥当な解決が導けるというだけでは，良い解釈論とはいえないということだ。法的な紛争解決とは，ルールによる紛争解決でなければならない。どんなに妥当な結論であっても，それがルールから導けない場合には，裁判では使

えないのである。

　ときに法律家は，導きたい結論が先にあって，そのために法解釈を行うことがある。弁護士は，自分の依頼人を勝たせるという明確な目的があって法解釈をする。裁判官だって，「ルールをそのまま当てはめると原告が勝ちそうだが，原告の主張する利益よりも被告の利益の方を保護するべきだから被告を勝たせたい」と思いながら法解釈をすることはあるだろう。しかしだからといって，弁護士も裁判官も，「原告の利益と被告の利益では，原告（被告）の利益の方が重要だ」というような主張の仕方は決してしない。法の解釈によって導かれたルールを，事案に当てはめた結果として，結論を導くのである。

　逆にいえば，法の解釈の結果として導かれたルールを適用しても，どうしても妥当な解決ができない事件があれば，それは法の外側で解決するしかない。民事事件では和解や調停といった裁判外の紛争処理（ADR。→第3章第1節4）がしばしば行われるが，その目的の1つは，法の解釈によっては達成できない解決策を裁判の外に求めることにある。そうではなくて，裁判内での紛争解決を選択した場合には，個別の事案としては妥当な解決に至らない場合であっても，それが法的ルールを適用した結果であれば，受け入れる覚悟を持つことが法律家には求められるのである。

　それは，偽善だという風に感じる人もいるかもしれない。妥当な解決が眼の前にあるのに，なぜ裁判で直接にそれを手にしてはいけないのか。妥当な解決でなくても，議論をして説得力のある法解釈をした方が「勝ち」というのでは，まるでゲームのようだ。どうして法律家はそのような虚構（フィクション）に依拠して紛争を解決しようとするのだろうか。

　おそらくそれは，実際の紛争では，何が妥当な解決かは簡単には決められないことによる。裁判に関わる，原告，被告，そして裁判官は，それぞれに自分自身の価値観というものを有している。もし，法解釈という作業を経ずに，自らが信じる「妥当な解決」をそれぞれが主張すれば，それはむき出しの価値観のぶつかり合いとなり，解決は極めて困難になる。そこで，法律の解釈として導かれるルールについてまず議論をし，それから目の前の紛争を解決するという儀式が必要となるわけである（わが国では，法律論における議論の重要性については平井宜雄教授，法とフィクションの関係については来栖三郎教授の研究がある）。

学生を指導していてよく思うのは，そういう割り切りが不得意な人が多いということである。民法の事例問題を出題すると，「法解釈をした結果導かれたルールをそのまま適用するとXが勝ちそうだが，事案の解決としてはYを勝たせるべきなのでYを勝たせる」というような答案がときどき見られる。

　私にはそういう答案を書く学生は，ルールによる紛争解決の重要性を軽視しているとしか思えない。なんだか「結論さえ妥当であれば，途中のルールなんてどうでもいいじゃないですか」と面と向かって言われているみたいな気がする。少なくとも学生のうちは，ルールを尊重する態度を身につけてほしいと思う。それは，①事例解決に適切な条文を見つけ出し，②その条文から適切なルールを導き出し，③そのルールを適用した結果として結論を導くという，基本的な法解釈の技術を身につけることである。

（山下）

第5章

解釈の対象となる法

1 法の存在形式

　法の解釈の出発点は，法がどのような形で存在するのかを，知ることである。そもそもある問題について，法の規定が明確な答えを示しているのならば，解釈の必要はない。また解釈の必要があるにしても，その法の規定がどのような資格で，どのような位置づけにあるのかを調べることが，重要である。そこで法がどのような形で存在するかを知る必要があるが，この法の発現形式を「**法源**」という。

2 成文の法源

　現在の日本の法秩序では，法は，公権力が特定の形式で，文書の形で制定するものが中心となっている。このような成文の法源としては，憲法，法律，命令，規則，条例が法源となる。このうち法律は，国会が制定するもので，法秩序の中心であり，2293ある。これに対して命令は行政が制定するもので，誰が制定するかによって政令（内閣），府令（内閣府），省令（各省）に分かれている。規則には，衆議院・参議院が各々の内部事項について定める議院規則，裁判所が訴訟手続等について定める最高裁判所規則等がある。行政機関のうち，人事院や公正取引委員会等の独立性の高い機関が定めるルールも「規則」と呼ばれる。これらはいずれも「**官報**」（国の法令その他の公示事項を登載し，周知させるための機関誌）に掲載される。政令は3066，府省令（行政機関の規則を含む）は4148である（令和2年11月25日現在現行のもの。国立国会図書館の日本法令索引による。ただし，明治憲法下の勅令等で，法律や政令等の効力を有するものとして扱わ

れているものも件数に含んでいる)。

この他にも条約は，本来は国家間のルールとして国際法の法源であるが，国内法秩序での法源ともなりうる。

条例は地方公共団体が制定し，その事務について規律する自主法である。

その他，国家機関からの「お知らせ」の一種である告示や，機関内部のルールである**行政規則**（内規，要綱，通達）も，実際には法の世界で重要な意義を持つ場合がある。

3　不文の法源

次に，成文ではない形式で法が存在する場合もあることが，一般に認められている。このような不文の法源には，慣習（→6）と条理が挙げられる。

条理とは「物事の道理」を指している。裁判事務心得（明治8太告103号）3条が「民事ノ裁判ニ成文ノ法律ナキモノハ習慣ニ依リ習慣ナキモノハ条理ヲ推考シテ裁判スヘシ」として，条理を裁判の基準として認めていた。ただ，実際には「物事の道理」は，他の法源から結論を導く際の解釈の中で実質的に考慮されているため，独立の法源として目に見える形で登場する場合は少ない。

その他，裁判所の判例，それから研究者の学説も，法源として挙げられることがある。これらについては，第6章で触れたい。

4　規範相互の効力・抵触関係

ある法的問題が生じた場合に，複数の法規定が適用できそうに見える場合には，実際に適用するのはどの規定かを決めなければならない。その時には，法源相互の関係から考えることになる。

まず，これらの法源は並列して存在するわけではなく，憲法＞法律＞命令（政令，府省令）という，社会科の教科書等

でおなじみのピラミッド構造がある。これは，それぞれの法形式を定める機関のランク（国会両院の特別多数決と国民投票＞国会＞内閣＞府・省）に応じて，上位の法形式が下位の法形式に法としての力を授けるという関係を示しており，下位の法形式は上位の法形式に逆らうことができない。上位の法形式と抵触する内容を定めた法形式は，法としての効力を有さず，無効となる。

これに対して同位の法形式，たとえば法律と法律が抵触する場合には，新しい法形式が優先し，古い法形式はその限りで効力を失ったものとみなされる。これが「**後法は前法を破る**」の原則である。このようにして，法秩序の中には矛盾は存在しないことになっている。

Column　規則・条例と法律の関係

議院規則・最高裁判所規則は，憲法に根拠を持ちその下にあることは明らかだが，この一般的なピラミッド構造とは別枠にあるため，条約とともに，法律との優劣関係が問題にされる。条例については，しばしばピラミッドの中で，命令（政令・府省令）の下の最下層に書き込まれる場合があるが，これは実は不正確である。条例は，憲法94条に根拠を持つという点で法律と対等であり，法律の根拠がなくても制定できるが（この点では命令よりも格上である），法律と条例が衝突する場合には，憲法自身がその場合の解決ルールとして「法律の範囲内で」条例が制定できると定めている。地方自治法14条1項は，条例が「法令に反しない限り」制定できると定めているが，これは，命令が法律の委任を受けて法律の内容を具体化しているので，その命令に反する条例は法律に反することにもなるからである。

5　法源が法解釈にとって持つ意味

法の解釈とは，法秩序に矛盾がないことを前提に，個々の法源から法を明らかにしたり，それぞれの適用範囲を決定したりする作業だといえる。成文法源を念頭に置いていうと，ある成文の規定が法秩序の中でどのような位置を占めるかを考えながら，他の規定と矛盾しないように，その規定の内容を明らかにしなければならない。また，一見すると他の規定と衝突するように見える規定も，それぞれの規定の適用範囲を「棲み分け」るように解釈できるのならば，

互いに矛盾せずどちらも法秩序から排除されないことになるのだから，それに越したことはない。こうした論理的前提の下で，実質的に妥当な結論を探るのが，法解釈の任務ということになる。

6 慣　習

　ある社会において一般に守られるべきだと考えられているルールを慣習という。法の適用に関する通則法3条は，「公の秩序又は善良の風俗に反しない慣習は，法令の規定により認められたもの又は法令に規定されていない事項に関するものに限り，法律と同一の効力を有する」と定め，慣習に法令に準じた法源性を認めている。また慣習は，特に民法において様々な条文で参照される（民92条・142条・217条・219条3項・228条・236条・263条・268条1項・269条2項・277条・278条3項・294条・484条2項・527条・897条1項）。

　民法において慣習が参照される場合，多くは慣習が法令の規定に優先するものとされる。たとえば民法92条は，「法令中の公の秩序に関しない規定と異なる慣習がある場合において，法律行為の当事者がその慣習による意思を有しているものと認められるときは，その慣習に従う」と定めている。これは，契約の解釈においては慣習が任意規定（公の秩序に関しない規定）に優先することを定めた規定である。通則法3条と民法とで，法令と慣習の優先順位が逆になっている理由については，民法学者の間でも意見が分かれる。いずれにしても，市民社会のルールを定める民法や，商人間の取引ルールを定める商法においては，社会の慣習や市場の商慣習を無視して現実の社会を規律することは難しく，慣習が法律上あるいは事実上の法源として機能することになる。これに対して，刑法では罪刑法定主義の観点から，慣習法による処罰を禁止している。

7　契約（法律行為）

　契約は，それを結んだ当事者間に権利義務関係を発生させるから，法に代わる役割を果たすものであり，広い意味での法源に当たる。ここで，「広い意味での」という表現を使ったのは，わが国にはそのことを直接定めた規定がない

からである（フランス民法には規定がある）。契約は，制度上の法源ではないが，特に民商法の分野では，裁判所が紛争解決のためのルールを導き出す根拠として大きな社会的な役割を果たす（→第3章第1節3）。

ただし，契約は，それを結んだ当事者間においてのみ拘束力を持ち，当事者以外の者の権利関係には影響しないのが原則である（契約は第三者を益しも害しもしないという法格言がある）。したがって，法源としての機能するのも原則として当事者間に限られることになる。

Column　ガイドライン・ソフトロー

法源という言葉の意味をさらに広げてみよう。それ自体は権利義務を発生させないが，紛争・問題の解決のためのルールを導き出す根拠や指針となるような規定が世の中には存在する。たとえば，ある業界において，業界団体が自主的に作成した自主規制のためのルール（ガイドライン）というのは，民間団体が勝手に作成したルールであるから法的拘束力を生じさせるものではない。しかし，その業界に属する企業が，ガイドラインに違反するような方法で消費者と取引をしていたことが判明した場合，その企業は業界団体内部や，社会一般から非難を受ける可能性が高い。このようなガイドラインは，その業界内部において事実上の法として機能する。このように，法的な効果を伴わないが法的に機能するルールをソフトローと呼ぶことがある（反対に制定法のような厳格な意味での法をハードローと呼ぶことがある）。

現代社会においては，ガイドラインを含めたソフトローの重要性は非常に高まっている。理由の1つには，現代社会の紛争は，調停や仲裁といった裁判外の紛争処理機関（ADR）で解決される場合があり，そこではソフトローが法源として利用されることが多いことが挙げられる（法源の自由度が高いことがADRの魅力の1つである）。また，裁判においても，ソフトローは事実上の解決指針として働くことがある。ガイドラインが当該業界に「慣習」といえるほど定着しているような場合はもちろんであるが（→前述6），そうでなくても，業界団体や当該業界に詳しい第三者機関が作成したガイドラインは，当該業界で守るべき最低限のルールを定めているものとして参考に値するからである。

（1～5：宍戸，6・7山下）

第6章

判例・学説の関係

1 判例とは何か

　これまで繰り返し述べてきたことだが，普通の人々でも，法に関わる際には，自覚的かどうかはともかく，法を適用したりしなかったり，その前提として法の内容がどのようなものか自分なりに解釈したりしている。しかし，社会の中でも，法の適用を任務としており，その判断が他人の判断を押しのけてでも通用するだけの強い力を，「2次ルール」（→Introduction 4(1)）によって認められる人々やその集団がいる。それは公権力に携わる人々（公務員）であり，とりわけ裁判を任務として，専門的な能力を持ち，その資格を認められた裁判官である。

　裁判官は，裁判所という組織（裁判官が1人で組織する場合もあれば，3人や5人の場合もある。最高裁大法廷の場合は，15人の裁判官によって構成される）として裁判を行い，ある事件について，必要な場合には法の解釈を示した上で，法を適用し，その事件を解決する。ところが，裁判官といえども常に解釈が一致するというわけではなく，また日本には多くの裁判所があるため，場合によっては同じ法について，裁判所によって解釈の内容が違うということも起こりえないわけではない。しかし，ある裁判所が，裁判の判決文の理由の中で法の解釈を示し，その解釈が他の類似した事件を扱う後の裁判所にとっても先例として参考になるようなものであれば，それに従うことが裁判官にとっても当事者にとっても合理的であるということが多い。このような，先例として拘束力を持つ裁判所の法的判断のことを，広い意味で**「判例」**と呼んでいる。

　特に最高裁判所は，日本の裁判所システムの頂点にある裁判所として，法の解釈を統一する任務を担っている。最高裁判所の判例に違反する裁判に対して

は，最高裁判所に上告ないし上告受理申立てをすることができると定められている（民訴318条1項，刑訴405条2号）のは，このためである。そこで，最高裁判所の法的判断に限って「判例」と呼ぶ場合もある。学習や実地の解釈に使うために，最高裁判所の判例を中心に，条文や主要な論点ごとに判例を体系的に整理した資料としては，『判例六法』『判例六法 Professional』や『判例百選』（いずれも有斐閣）等がある。

2　判例との付き合い方

　裁判所の法解釈である「判例」は，国民一般はもちろん，弁護士のような法律の専門家であれ，他の公権力であれ，覆すことはできない。たとえば，その判例が法律に関するものであれば，国会は立法権を行使して，その法律を改正したり廃止したりすることはできる。しかし，それは国会の解釈が裁判所の解釈を押しのけて通用したというわけではなく，法律がある限りは，裁判所の解釈は，相手がたとえ国会といえども，優越するのである。とりわけ，最高裁判所の判例は，他の裁判所を事実上拘束する力を制度的に認められていることからしても，実際の裁判実務で通用する法の内容そのものと実質的に等しく，他の人物や機関の解釈より一頭地抜けた，別格の存在といえる。最高裁判所の判例が法源の1つと数えられることがあるのも，このためである。

　したがって，ある解釈問題について，まず（最高裁判所の）判例があるかを調べ，次にそれがあるならば，どのような内容のものかを理解することは，法の解釈を学ぶ上でほとんど必要条件といってよい。少なくとも，著名な判例があるのにそれを知らないとか，その内容を無視したような解釈論は，法の規定を調べていないのと同じように，そもそも解釈論と名乗る資格さえない，といっても過言ではない。国家試験や資格試験において，知識択一の設問で判例の有無や内容について聞いたり，事例論述の設問で判例を前提にして解釈論を組み立てさせたりする形式の出題がよく見られるのは，法解釈の基礎体力として，判例の知識や理解の習得度を測りたいからである。

　しかし，他方で，判例の知識や理解は，法の解釈にとって必要条件ではあっても，十分条件ではないことにも，注意しなければならない。

その第1の理由は，判例の成り立ちにある。裁判所は，そもそもある事件を解決するという任務に必要な限りで，法解釈を示すのが通例である（裁判所が，事件の解決には直接必要のない法解釈を示すこともある。これは「傍論」と呼ばれ，法解釈において参考にはなるが，本来は拘束力のないものと考えられている）。だから，類似の事件についてはその判例がそのまま，あたかも「法源」のように機能するとしても，同じ法の下で生じる別種の事件については，先例としての価値を持たない場合も多い。判例を覚えていれば十分で，もはや解釈の必要はない，ということにはならない。

第2に，たとえば法律の規定の相互関係が問題になるのと同じように，判例相互の関係がどうなっているのかが問題になることも多い。典型的には，ある事件について，複数の判例が同時に先例となるように見え，しかもある判例に従った場合の結論が，別の判例の考え方によれば出てくるはずの結論とは異なるというような場合である。この場合には，それらの判例は矛盾しており後の判例によって古い判例が変更されているのか，それぞれの通用する範囲を限定することで，整合的に理解できるのか，それとも一方は原則論を述べ，他方はその事件特有の考え方を示したというように内容的にレベルが異なるのか等々を，考える必要がある。もともと判例には法の解釈が含まれているが，今度はその判例の方を「解釈」するという作業が，必要になるのである（たとえば，→第2部第7章第3節）。

第3に，最高裁判所自身が自らの判例を変更することがあるように，判例といえども絶対的に「正しい」わけではない。まずは，判例が出された当時の社会的・制度的文脈や理論的背景が，いま現在では変化しており，それらを前提にした判例の妥当性が失われたという場合も，しばしば起きる。もともと判例の示した法の解釈が，理論的に見て，その法との関係で論理的でない，他の法や判例と整合していないとか，実際に様々な事件で適用してみると，不当な結論に至ってしまうために，妥当ではないという場合も，当然考えられるのである（たとえば，→第2部第8章第2節）。

以上述べてきたことからすると，判例について正しい知識を得て，判例に従って事件に法を適用し解決するという訓練は，法解釈を学ぶ上で必ず通過しなければならない関門であるが，それだけでは法解釈の奥義を摑んだとはいえな

い。むしろ，個々の判例の機能を理解したり，判例の位置づけを理解し他の判例と関連づけできるようになった上で，判例を創造的に解釈したり，さらにはその問題点を発見し克服する新たな解釈を提示できたりするようになってはじめて，法解釈の「プロ」といえるのである（逆にいうと，その境地に達するまでは，判例の「凄さ」が本当にわかったとはいえない）。

3　学説の意義

　これに対して，皆さんに法学部やロースクールで授業を行う先生（研究者）が，研究の一環として，論文等で，現在の法律等についての解釈を示すことがある。こうした「学説」は，それ自体としては，実務そのものからある程度の距離をとった形で展開され，また国家権力に裏打ちされた拘束力を持って実務に通用するものではない。また，学説はそれを唱える研究者によって様々な内容や形をとることがある。難解な論点になると，研究者の見解が「一人一説」の戦国状態の様相を呈することも珍しくない。判例が裁判に必要な限りで形成され，拘束力を持ち，最終的には最高裁判所によって統一化されるのに対して，自由で多様であり日々新たに生産される（そして，多くは消えていく）のが学説だ，ということができる。

　こうした「学説」は，しかし法解釈において決して無力ではない（ことがある）。たとえば，国際法分野において最も権威のある機関である国際司法裁判所が，いかなるものを法源として判決を出すことができるかについて，国際司法裁判所規程の 38 条 1 項は，次のように定めている。

> 　裁判所は，付託される紛争を国際法に従って裁判することを任務とし，次のものを適用する。
> 　a. 一般又は特別の国際条約で係争国が明らかに認めた規則を確立しているもの
> 　b. 法として認められた一般慣行の証拠としての国際慣習
> 　c. 文明国が認めた法の一般原則
> 　d. 法則決定の補助手段としての裁判上の判決及び諸国の最も優秀な国際法学者の学説。但し，第 59 条の規定に従うことを条件とする。

この規程は，もともと国内法に比べて成文の法源（a号の条約）が少ない国際法の分野で，慣習（b号），条理（c号）と並んで，判例および「学説」を「法源」として正面から認めたものである。しかし国内法の分野でも，正面から「法源」とされることはないとしても，学説は法実務に影響を与えたり，判例をも支配したり導いたりすることがある。

　もっとも，研究者が，たとえば他の国での最新学説をフォローして，それを日本でも採用すべきだというようなやり方で，これまでの実務とは全く無関係に新しい解釈論を唱え，裁判所がいままでの判例からそちらに乗り換える，というようなことは，まず稀である。むしろ判例と学説の関係は，2の終わりに，「判例の位置づけを理解し他の判例と関連づけできる」ことが必要だと述べたことに関連している。判例の位置づけを理解したり，他の判例と関連づけたりするためには，より抽象的なレベルで概念や枠組みを立てて，その観点から判例を整理し，理論的に正当化したり体系化したりする必要がある。まずは，こうした判例の「研究」それ自体が，その後の判例の発展に影響を与えることが考えられる。また判例の問題点を鋭く批判する研究を受けて，判例が変更されたり，判例の通用する範囲が限定されたりすることもある。

　ここまで述べた判例と学説の関係は，ちょうど作家・歌手と評論家の関係のようなものだが，実はより根底的なレベルで，学説が裁判所の解釈を拘束し，いわば「実務を支配する」とまでいわれる場合もある。特に，成文法主義がとられているわが国では，法律の個々の規定は，その規定に関連する別の法律上の制度や，法律の体系的なしくみと，密接に関連して作られていることが多い。そうすると，裁判所が法を解釈する際にも，法律を理論的・体系的に把握することが必要となる。しかし，法を理論的・体系的に把握するという作業は，どちらかといえば個別の紛争を解決する裁判の領域よりも，概念を精緻化したり，原理原則を追求したりといった研究の領域に含まれる。いわば裁判官による法の解釈の土台を設定したり，それを覆したり再構成したりといった作業を，学説は担っている。

4　学説との付き合い方

　以上述べたところから，法の解釈において判例が重要であると同時に，学説を学ぶ意義もあるということがわかったのではないだろうか。もちろん，法解釈の入門の段階では，高度な学術論文を読み込もうとする必要はない。むしろそうした論文を読んで理解できるようになるためにも，法解釈の基礎をしっかり習得する必要がある。それには，やはり基本書を読むのが一番だろう。

　大学の法学部やロースクールで教科書として指定されるような基本書は，理論的な体系に基づいて，その法の基本的な原理原則や様々な制度を解説し，さらに個々の規定をめぐる主要な論点を取り上げて，判例や通説（多くの研究者に支持されている，支配的な見解），有力説等を紹介し，場合によっては著者自身の解釈論を提示している。こうした基本書を紐解くことで，その法の基本的なしくみや主要な判例・学説状況を理解することもできるし，さらには著者が自分の学説をどのように展開しているかをいわば追体験することで，（その学説に同意しないとしても）法解釈の作法ややり方を学ぶことができる。まずは1冊，定評のある基本書をしっかり読み込むことを薦めたい。その際，論点についての肯定説・否定説等の記述ばかりを拾い読みしてはいけない。むしろ，どのような体系的位置づけの中で，どうしてそういう法の解釈が必要になるのか，また解釈が対立する理由はどこにあるのかを理解するためにも，その論点に関連する制度の趣旨やしくみに関する記述等，全体としてしっかり読むことが必要である。

　そうやって一通り基本書を読んだら，今度は別の基本書と読み比べてみるとよい。2冊目は，1冊目よりもずっと楽に読み進められるはずだが，ここでも著者の自説どうしを比較対照するのではなく，同じ判例を著者がどのように説明しようとしているのか，制度の趣旨の理解が異なっていないか，理論的な体系に違いがあるか，その違いは個別の論点にどのように反映されているか等，あちこちに目配りして考えながら，能動的に読んでみるとよい。一見地味なそうした作業を通じて，法解釈のスキルが，次第次第に身についていくはずである。

（宍戸）

第2部 各法分野における法解釈の例

```
      Introduction
第1部  法解釈を始めよう
      第1章  まずは条文を眺めてみよう
      第2章  条文を解釈しよう
      第3章  各法分野における法解釈の特徴
      第4章  法解釈と利益衡量論
      第5章  解釈の対象となる法
      第6章  判例・学説の関係
第2部  各法分野における法解釈の例
      第7章  民法
      第8章  刑法
      第9章  憲法
第3部  2つの視点から考える法解釈
      第10章  広島市暴走族追放条例事件
      第11章  立川テント村事件
      第12章  利息制限法と司法
```

第7章

民　　法

第1節　物権的請求権——体系からルールを導く

1　はじめに

　ここからは，各法分野での法解釈の例を挙げて，実際の法解釈のやり方を体験してもらうことにする。まずは民法を例に，条文がない「ように見える」場合の，解釈の問題を取り上げよう。ストレートに解決に結びつく条文がないとき，私たちは何を「解釈」するのだろうか。ここでは，物権的請求権についての解釈論を取り上げようと思う。

2　物権的請求権とは何か？

　物権的請求権とは，物権の効力が妨げられている場合，または妨げられる恐れがある場合に，物権を有する者が行使する権利である。たとえば，所有権者は，所有物を奪われた場合に，所有権に基づく返還請求権を行使できる。これが物権的請求権の代表的な例といえる。

　しかし，民法を見ても，どこにも，所有権に基づく返還請求権の条文がない。実は，物権的請求権に関する条文というのは，占有権に関する「占有の訴え」の規定（197条～200条）を除いて，民法には置かれていない。物権的請求権というものが，物権一般に認められる権利であることから考えると，これはかなり不思議なことである。なぜ民法は，占有権についてのみ物権的請求権の規定を置いて，代表的な物権であるはずの所有権や，その他の物権について規定を

置いていないのだろうか。こうした疑問を持って民法の条文を眺めてみると，物権的請求権についての，書かれざるルールが見えてくる。

3　物権の対象としての「物」

　民法総則編の，「人」の章の次は「物」の章が続く。民法において，「人」は権利の主体を表す概念であるのに対して，「物」は権利の客体を表す概念である。「所有する」のが人，「所有される」のが物，というと，イメージがつかめるだろうか。

　民法総則編の「物」の章は，「人」の章に比べると，条文数も少なく，簡単な規定が多い。しかし，だからといって重要でないわけではない。民法総則編の「物」の章は，次の物権編の前提として，「物」の定義を定めているのである。たとえば，物の章の最初の条文（85 条）には，「この法律において『物』とは，有体物をいう」とある。このルールは，「民法において，『物』とは，実体のあるものをいう」ということだが，逆にいえば，「実体のないものを『物』とはいわない」というルールを示している。たとえば，電気は「物」ではない。したがって，電気は物権の対象とはならず，電気を所有することはできないことが同条から導かれる。

4　物権は物の支配権

　民法 85 条が，物を有体物に限っているのは，物権は物を「支配」する権利だからである。実体のないものについて「支配」を問題とすることもできなくはないが，そのためには特別なルールが必要である（たとえば特許権など）。そこで民法は，物理的な支配が可能な有体物に限り「支配」を問題とし，そのための権利を「物権」と定義しているのである。

　このことは，民法における物権と債権の区別という，より重要な問題に結びつく。たとえば，私たちは電力会社から電気を「買って」いる。しかし，そこでの契約内容は，電気の支配的権利を移転するのではなく，電力会社と各家庭との間の，「送電をする」「電気代を支払う」という権利・義務の設定という形

で行われる。つまり，民法では，物に対する支配の権利を物権として扱い，それ以外を人と人との債権・債務として扱うという約束を前提にルールが作られているのである。このことがわかると，民法典第2編を「物権」，第3編を「債権」とする，民法の編成の意図が見えてくる。

したがって，物権の最大の特徴は，物に対する「支配」である。この支配の内容は，排他性，絶対性という言葉で表現される。排他性とはその権利と矛盾する権利が成立しないこと，絶対性とは誰に対してもその権利を主張できることと説明される。これらの特徴は，債権には原則として認められない。

5 物権的請求権の根拠

さて，物権的請求権の根拠については，その条文上の根拠としては，占有権の規定（占有の訴え）に求めるのが一般的である。「占有権ですら」物権的請求権が認められるのだから，他の物権で物権的請求権が認められるのは当然だという理屈である。しかし，このような形式上の根拠だけでは，十分な説得力がない。そこで，理論上の根拠を考えてみる必要がある。

物権が物を支配する権利だとして，その支配の仕方は，物権の内容によって異なる。ここでは所有権に絞って考えてみよう。まず，物を所有するということは，その物を他人に貸して賃料をとることも含め，自由に使えるということ，さらには，その物を他人に譲り渡すことも含めて，その物を「処分」できるということである。このことを206条は，「所有者は，法令の制限内において，自由にその所有物の使用，収益及び処分をする権利を有する」という規定で表している。

ここでは物の使用を例にとろう。所有者は，自由にその所有物を使用する権利を有する。この権利は，物権であるから，排他的・絶対的な支配権である。したがって所有者は，所有者以外の誰に対しても，自分だけが自由に所有物を使用できる（矛盾する権利は成立しない）と権利主張ができる。つまり206条は，「物権は支配権である」というルールと合わせてみた場合，所有者に自由な物の使用の権利を与えていると同時に，所有者に無断で他人が物を利用することを所有者が排除できるということを規定していることになる。

物権的請求権の理論上の根拠については，厳密にはいくつもの説が対立している。しかし，たとえば所有権に基づき物権的請求権が認められることの根拠の1つが，所有権という権利の特徴，権利の内容そのものにあることを疑う人はいないだろう。このことから考えると，一見すると所有権の内容を定めるだけに思える206条は，実は物権的請求権の条文上の根拠（の1つ）にもなっていることがわかる。このように考えると，民法典が占有権についてのみ「占有の訴え」の条文を置いている不思議も少しわかってくる。占有権については，206条に対応するような条文が置かれていないのである。

6　より詳しい物権的請求権の内容について

以上のようにして，所有権に基づき物権的請求権が認められることは，条文にはっきり書いてはいないけれども民法の解釈から導くことができる。それでは，そこで認められる物権的請求権とは，具体的にはどのような請求をする権利なのだろうか。このことを考えるために，次のような教室設例がよく挙げられる。

> Case1　Aは田んぼとして利用する土地甲を所有している。あるとき，大雨で堤防が決壊したため，洪水によってBの自動車乙が流され，土地甲に流れ着いた。現在乙は，甲の真ん中に半分埋まっている。AがBに対して，乙の撤去を求めたところ，Bは乙の撤去に費用がかかるとして応じない。AはBに対して，Bの費用負担で乙を撤去するよう請求する権利を有するか。

ここで争われているのは，田んぼの中から自動車を引き上げるのにかかる費用をAとBのいずれが持つかという，いささか細かい話である（とはいっても，クレーン車を使って車を引き上げるのにはそれなりに費用がかかる）。しかし，この設例が教科書でよく利用されるのは，この設例は「所有者は自分の所有物の利用を妨害されたときに何を主張できるのか」という問題を考える上での，格好の素材だからである。

Case1 で，AがBを被告として，裁判所に訴えを提起したとしよう。これは，Aの所有物である甲の利用が，乙によって妨げられているということを

根拠とした，所有権に基づく妨害排除請求権に他ならない。Aが甲の所有者であることは間違いないとすると，所有者は所有物の利用を妨げられている場合には物権的請求権を行使できるのだから，裁判所はAの訴えを認めるべきことになる。

では，この場合に裁判所は，どのような判決を下すべきなのだろうか。仮に，裁判所が「Bは，Aの所有する土地甲の外に，自動車乙を移動せよ」という判決を下すならば，裁判所は，乙の移動をBに命じていることになる。そうなると，移動にかかる費用もBが負担すると考える方が自然なように思える。

このことは，所有権者は，所有物の利用を妨害している者に，妨害を終わらせるよう請求する権利があるということを意味する。より一般化すると，物権的請求権というのは，物権の内容を実現するのに必要な限度で，他人に積極的な行為をすることまで請求できる権利だということになる。物権的請求権をこのように理解する説を，**行為請求権説**という。

7　忍容請求権説からの批判

このような行為請求権説からの物権的請求権の理解に対しては，有力な批判がある。それは物権的請求権の内容を，他人に積極的な行為を請求できる権利ではなく，自分が物権を実現するのを相手方に忍容させる権利にすぎないと考えるもので，**忍容請求権説**と呼ばれている。具体的には，Case1 でAがBを訴えた場合，裁判所は「Bは，Aが土地甲の外に自動車乙を移動するのを忍容せよ（邪魔するな）」という趣旨の判決しか下すことはできないと考える説である。このような判決がなされる場合，乙の移動にかかる費用はAが負担することになりそうである。

忍容請求権説の根拠は次のようなものである。Case1 で，Bが「自分は乙の所有権者である。所有権者は所有物について，占有を奪われた場合にはその返還を求めることができるのだから，乙の返還を求める」と主張したらどうなるだろうか。Bは乙の所有者だから，乙の返還をAに求めることができるはずであるが，行為請求権説をとるならば，その費用はAが負担することになるはずである。つまり，Case1 は，AとBのいずれが先に訴えるかで，乙の

撤去費用を負担する側が変わってしまうことになる。こうなると，AとBは競って訴えを提起することにならざるをえない。そうした事態にならないためには，訴えを提起した側が費用を負担するという忍容請求権説の考え方が妥当だというわけである。

つまり，Case1で乙の撤去費用をABいずれが負担するべきかという問題は，物権的請求権の内容として，原告の権利者はどこまでの請求を被告である相手方にすることができるのか，裁判所はどこまでを被告に命じることができるのかという，非常に大きな問題につながっているのである。

8　行為請求権説の再考

このような忍容請求権説は，Case1のような場合を考えると，一定の説得力があるようにも思える。しかし物権とは物に対する排他的かつ絶対的な支配権であり，物権的請求権とはそうした物に対する支配を回復する為の手段であるという出発点に立ち戻ってみると，物権的請求権の内容は，物権の実現を相手方に忍容させるだけであるという忍容請求権説の主張は，いささか奇妙な気がしないでもない。一般論としては，物の支配を妨げられた者は，妨げた者に対して，妨害をやめるべく行為を求められると考えるのが自然であろう。そうすると，行為請求権説をベースに考えたくなる。

そこで最近では，行為請求権説をベースとして，Case1について新たな理解をする学説が登場している（佐久間毅『民法の基礎2』〔有斐閣，2006〕307頁以下）。概要を述べると，次のようになる。Case1では，甲の真ん中に乙が埋まっている。このとき，甲の利用が乙によって妨げられていることは確かであるが，乙の利用が甲によって妨げられていると本当にいえるか。もしBが乙を引き上げるために甲の敷地に立ち入ろうとするのを，Aが妨害すれば乙の利用は妨げられているといえるかもしれない。しかし，Aがそのような行為をしない限りは，そもそもAがBの所有権を侵害しているといえないのではないか。

つまりこういうことになる。「所有者は，所有権を侵害している者に対しては，侵害を排除する行為を請求できる」というルールを上の設例に当てはめた

場合，Aは「所有権を侵害している者」に当たらないから，BはAに行為請求できない。しかし，「所有者は，所有物について全面的・排他的な支配権を有する」以上，Bが自己の費用で乙を甲の敷地内から引き上げることについて，Aはこれを忍容しなければならない。この説では，昔からいわれてきた基本的なルールについて，その要件に該当する場合かどうかをより緻密に考えることによって，シンプルに結論の妥当性を導き出しているのである。

　物権的請求権については，手がかりとなる条文が少ない。このため「物権とは何か？」という根本的な問題から出発して，様々な問題を解釈によって導き出していることがわかってもらえただろうか。

第2節　94条2項の類推適用――権利外観法理をめぐる議論

1　はじめに

　ここでは，民法94条2項の類推適用というテーマを中心として取り上げる。民法総則の初めの方で勉強するテーマなので，既に勉強を終えた人も多いだろう。ここだけは（？）自信があるという人もいるかもしれない。しかし，この条文の解釈は意外に奥が深い。ここでは，「**類推適用**とはどういう解釈テクニックなのか？」という点を理解するために，同条の背後にあるとされる権利外観法理（表見法理）について，教科書の記述よりも踏み込んで考えてみることにしたい。多少難しいが，初学者が誤解しやすい部分でもあるので，頑張ってついてきてほしい。

2　94条2項の類推適用とは？

　まず，94条の条文を確認しておこう（→第1部第4章第2節）。同条1項は「相手方と通じてした虚偽の意思表示は，無効とする」と定め，同条2項は「前項の規定による意思表示の無効は，善意の第三者に対抗することができない」と定める。

　1項は，次のような場合を想定している。Xが，Aとの間で，Xの所有する土地甲をAに売却する旨の売買契約書を取り交わし，登記もA名義とした。しかし，XとAの間には，甲は実際に売るのではなく，売ったことにする，という了解があったという場合である。このような場合に，後からAが売買契約書をたてに，Xに甲の引渡しを請求したらどうなるか。94条1項によると，Xがした売買契約締結の意思表示は，相手方Aと「通じてした虚偽の意思表示」であるから無効であることになる。

　2項は，その例外を定めている。たとえば，Aが，自らに登記があることを利用して，事情を知らないYに甲を売却した場合，Xは意思表示の無効をY

に主張（対抗）できない。ここでのYが「善意の第三者」に当たる。

さてここで、次のような事例を考える。

> **Case2** Xが、自らの所有する土地甲について、Aに無断で、甲をAに売却するという内容の売買契約書を作成し、その契約書を利用して甲の所有名義をAとする移転登記手続きの申請を行った。その後、それに気づいたAがこれ幸いと、事情を知らないY（善意）に、甲を売却した。Yは94条2項によって保護されるか。

ここでのXは、Aと「通じて」虚偽の意思表示をしたわけではなく、勝手に移転登記を行っている。したがって94条1項は適用がない。1項の適用がないということは、2項の適用もない。したがってYは、保護を受けることはできないはずである。

しかし、この場合のYが保護されないのは結論としてはおかしい気がする。たしかに、上記の事例のXは、Aと「通じて」いるわけではないが、94条1項が想定する場合と比べて、Xに同情の余地があるとも思えない。XとAとが通じていたかどうかで、登記を信じてAから甲を買ったYの保護の必要性が変わるというのはおかしくないだろうか。

このような考慮から、上記のような事例におけるYは、94条2項の「類推適用」により保護されるべきであるという解釈が生まれる。より具体的には、XはAへの所有権移転がなされていないことを善意のYに対抗できず、その結果、Yが甲の所有権を取得するということになる。つまり、類推適用とは、存在する条文の本来の適用場面と利害状況が類似する場面について、条文が適用されたのと同じ帰結をもたらそうとする解釈をいう。94条2項は、そのような類推適用が行われる典型例として挙げられることの多い条文である。

3　権利外観法理

類推適用が行われる際の根拠は、条文の本来の適用場面と、目の前の事案との利害状況の類似性にある。しかし、ここで疑問が生じる。私たちはどうやって、そのような類似性を判断しているのだろうか。

Case2 で考えてみよう。XはAと「通じて」契約書を作成したり，移転登記手続の申請を行ったりしているわけではないが，自分の意思でそのような行為を行っていることは事実である。他方で，94条2項が，相手方と通じて行った意思表示の無効を善意の第三者に対抗できないと定めているのは，本人が自らの意思で虚偽の意思表示をした場合，その意思表示を信頼した第三者の保護のため本人の権利が失われてもやむをえないというバランス感覚（利益衡量→第1部第4章第2節）による。そうすると，上記の事例のXが，自分の意思で虚偽の契約書を作成したり，移転登記手続の申請を行ったりしていることは，94条2項の背後にある趣旨から考えると，XとAが「通じて」意思表示をした場合と「似ている」と判断してよさそうである。つまり，類推適用の根拠となる類似性は，条文の趣旨によって判断されているのであり，その条文が背後に持っている利益衡量こそが，類推適用の決め手になっていると考えられる。

94条2項の類推の根拠とされる，条文の趣旨，利益衡量の理論を，一般に「権利外観法理」と呼んでいる。有斐閣の『法律学小辞典（第5版）』では，「真実に反する……外観を作出した者は，その外観を信頼してある行為をなした者に対し外観に基づく責任を負うべきであるという理論」と説明されている。先ほどの事例に当てはめてみると，(i) Xは真実に反して，XA間で土地甲の売買契約がなされ移転登記手続が行われたという虚偽の外観を作出し，(ii) Yはその外観を信頼してAから甲を購入する契約を締結したため，(iii) XはYに対して虚偽の外観を作出した責任を負うということになる。

4　最高裁平成15年6月13日判決

上記のように説明をされると，「94条2項の条文より，その背後にある権利外観法理という趣旨が重要なのだ」というふうに感じるかもしれない。そこで，権利外観法理を「①真の権利者の帰責性により，②虚偽の外観が作出され，③その外観を信頼した第三者がいる場合には，第三者が保護される」というルールとして丸暗記しておこうとする学生が出てくる。しかし，これは正しい態度ではない。

そのことを説明するため，まずは以下の事例を考えてみてほしい。以下の事

例において，XがYに対して，土地建物甲の所有権がいまだ自分にあることを根拠に，移転登記の抹消登記手続請求をし，それに対してYは94条2項の類推適用を主張したとして，いずれの主張が認められるだろうか。

> **Case3** Xは自己の所有する土地建物甲について，Aに8200万円で売却する契約を締結した。この売買契約には，甲の所有権移転及び所有権移転登記手続と売買代金の支払とを引換えとするとの約定が存在した。
>
> 契約締結の際，Aは，土地の地目を田から宅地に変更し，道路の範囲の明示や測量をし，近隣者から承諾を得るために必要などと説明して，Xから委任事項が白紙の委任状2通の交付を受け，さらに甲の登記済証を預かった。その後1ヵ月間ほどの間に，Xとその妻は，Aに言われるままに委任事項が白紙のX名義の委任状を重ねて交付し，Xは自己の印鑑登録証明書も交付している。
>
> Aは，Xから交付を受けた上述の白紙委任状に「事前に所有権移転をしてもらってけっこうです」，または「上記の物件の土地，建物の売買いに関して一切の権限を委任します」といった文言を書き込んでいた。Xはそれらの文言の書き加えられた委任状の写しの交付を受けていたが，AがXに対してした売買代金決済と同時に甲の所有名義を移転するとの説明を信じており，それ以前に所有権を移転する意思はなかった。
>
> しかし，Aは上述の委任状を悪用し，甲の売買代金を支払うことなく，登記上の所有名義をXからAに移転した（第1登記）。そしてそれから10日ほどの間に，Aは甲を代金6500万円でYに転売し，移転登記も済ませてしまった（第2登記）。Yは，甲の所有権がXからAに移転していないことについては善意・無過失であった。

Xの主張は認められる。いや，認められた，というべきか。実は上記事例は，最判平成15年6月13日（判時1831号99頁・判例タイムズ1128号370頁）をもとにしている（多少事案を簡略化している）。同判決で，最高裁は次のように述べて，94条2項の類推適用によりYを保護しようとした原審判決を差し戻した。

「Xは，本件土地建物〔甲〕の虚偽の権利の帰属を示す外観の作出につき何

ら積極的な関与をしておらず、本件第1登記を放置していたとみることもできないのであって、民法94条2項、110条の法意に照らしても、Aに本件土地建物の所有権が移転していないことをYに対抗し得ないとする事情はないというべきである。」

　この最高裁判決からは、次のようなことがわかる。土地建物甲の登記上の所有者が、真の所有者であるXではなくAとなっていたという虚偽の外観を、Yが過失なく信じたとしても、Xが「虚偽の外観の作出につき積極的な関与をして」いるか、少なくとも、「本件第1登記を放置していた」という事情がない限り、Yは保護されることはない。つまり、Xは所有権を失うことはないということになる。虚偽の外観の作出についての真の権利者の関与の仕方に、最高裁が注目していることがわかるだろう。
　ところが、権利外観法理を「①真の権利者の帰責性により、②虚偽の外観が作出され、③その外観を信頼した第三者がいる場合には、第三者が保護される」というルールとして丸暗記している学生には、平成15年判決の結論がうまく説明できない。なぜなら、上記の事例におけるXは、Aがした虚偽の移転登記という外観作出について、帰責性がないとはいい切れないからである。たとえば、XはAに対して白紙委任状や登記済証、印鑑登録証明書等の移転登記手続に必要な書類を交付しており、また交付した白紙委任状にAが記載した文言も事前に確認している。このような事実関係の下で、Xに帰責性があるかないかだけを問題としようとすると、当然「ある」という判断に傾きやすい。つまり、最高裁のように虚偽の外観作出についてのXの関与の仕方を問題にしようという発想が出てきにくいのである。

5　権利外観法理はルールではない

　誤解してはいけない重要な点は次の点である。権利外観法理というのは、それ自体はルールではなく、ルールを導き出すための理論あるいは理念にすぎない。つまり「①真の権利者の帰責性により、②虚偽の外観が作出され、③その外観を信頼した第三者がいる場合には、第三者が保護される」というルールが

民法の中にあるわけではなく、そのような理念から説明することのできるルールが、民法の中に存在しているというふうに理解するべきなのである。そのことは、民法の教科書をよく読んでみると確認できる。たとえば、内田貴教授は、動産の即時取得に関する192条の趣旨として公信の原則を挙げ、次のように記している（内田Ⅰ 467 頁）。

> 「公信の原則は、権利の外観を信頼した者を保護するという法理（権利外観法理）の一環として理解することができるが、同様な法理に基づく制度は、すでに民法の中にいろいろある。これまでに出てきたものとして、94 条 2 項、96 条 3 項、表見代理などがあり、またこれから出てくるものとして、478 条、480 条などが有名である。」（注 平 29 改正で 480 条は削除）

内田教授は、権利外観法理について、民法総則編の規定だけでなく、物権編、債権編など、民法の中のいろいろな条文の基礎となっていることを指摘している。公信の原則とは、動産物権変動の場面における権利外観法理の発現形態というわけである。この記述からわかることは、権利外観法理というのは、公信の原則よりもさらに抽象的な、民法のしくみを統一的な観点から説明するための理論にすぎないということである。即時取得のルールは192条によって与えられるのであり、公信の原則というルールが存在するわけではないのと同様に、権利外観法理というルールは民法の中に存在してはいないのである。

6　権利外観法理における真の権利者の帰責性

権利外観法理それ自体はルールではないという点について、もう少し説明を続けよう。内田教授も言及していた、478 条という条文を見てみよう（同条は平成 29 年に改正されたが、趣旨は改正前と変わらないので、改正後の条文で説明する）。同条は、「受領権者（債権者及び法令の規定又は当事者の意思表示によって弁済を受領する権限を付与された第三者をいう。以下同じ。）以外の者であって取引上の社会通念に照らして受領権者としての外観を有するものに対してした弁済は、その弁済をした者が善意であり、かつ、過失がなかったときに限り、その効力を有する」と規定する。つまり、同条は、債務者が本来弁済をすべき

相手でない者に対して弁済をしたにもかかわらず、その弁済が効力を有する場合を規定しているのである。たとえば、債権者ではないが債権者の外観を有している者等に対して、善意かつ無過失で弁済をした債務者は、その弁済行為によって債務を免れることができ、真の債権者は債権を失う。同条も、権利者としての虚偽の外観を信頼して行為をした者に保護を与えるという点において、権利外観法理の一環として説明するのが現在の多数説である。

ただし478条には、権利外観法理から導かれる他の規定とは異なる点がある。同条の要件は、受領権者としての虚偽の外観と、その外観に対する債務者の善意・無過失である。つまり、虚偽の外観に対する信頼があれば債務者は保護されるのであり、その外観が作り出される過程で真の債権者が関与したかどうかが問題とされていない。

この点について内田教授は、次のように説明している（内田Ⅲ56頁）。

> 「理論的には、（新旧）478条は権利外観法理……の一環として理解するのが妥当であり、従って、ある程度は真の債権者の帰責事由を考慮すべきである。しかし、通常の法律行為と違い、弁済の特殊性（債務者は弁済に慎重であると債務不履行のリスクを負うことになる）から、弁済をした者の『過失』要件の中でそれを考慮するというのが解釈論としては適当だと思われる。」

真の債権者の帰責事由を弁済者の「過失」要件の中で考慮するというのは、真の債権者に帰責性がないような場合には、受領権者としての外観を有する者に弁済をした債務者の無過失の認定を厳しくすることで、478条の成立を容易に認めないということである。

この記述からもわかるように、内田教授は、権利外観法理にとって、本人の帰責性が重要な要素であることは否定していない。しかし、各条文で要求される帰責性の程度は、その条文が想定している適用場面ごとに異なり、478条の場合においては、本人の帰責性は債務者の受領権者としての外観を有する者への信頼の判断の中に吸収されてしまうと考えている。いってみれば、権利外観法理にとって、①真の権利者の帰責性、②虚偽の外観、③外観に対する信頼という3つの要素は重要ではあるが、3つの要素は適用場面ごとに、異なるブレンドがされて具体的なルールとなる。内田教授は478条の適用場面に合った、

カクテル・レシピを記述しているのである。

権利外観法理それ自体をルールとして暗記してはいけないということの意味が、なんとなくわかってもらえただろうか。

7 94条2項が要求する本人の帰責性

そこで、94条2項に話を戻そう。94条2項の類推適用が問題となる場面では、権利外観法理の3要素はどのように組み合わされているのだろうか。ここでは、(1)意思外形対応型と(2)意思外形非対応型という、2つの類型に分けて判例の示すルールを見ていこう。

(1) 意思外形対応型

意思外形対応型とは、虚偽の登記という外観が本人の意図のもとで作出され、その登記を信頼して取引行為に入った第三者が存在するという事案類型である。有名な判決として、最判昭和45年9月22日（民集24巻10号1424頁）がある。Xが所有する土地甲について、AがAが無断でA名義の移転登記をした。Xはそのことに気づいたが、Aが内縁の夫であり後になって婚姻したなどの事情があったため、登記名義を戻すことなく長年放置していた。さらには、A所有名義のままで、抵当権の設定などを行った。その後、Aは、事情を知らないYに甲を売却した。YのXに対する土地明渡請求を棄却した原審判決に対して、最高裁は次のように判示し、94条2項の類推適用により、Yの所有権が認められる可能性を示した。

「不実の所有権移転登記の経由が所有者の不知の間に他人の専断によってされた場合でも、所有者が右不実の登記のされていることを知りながら、これを存続せしめることを明示または黙示に承認していたときは、右94条2項を類推適用し、所有者は、前記の場合と同じく、その後当該不動産について法律上利害関係を有するに至った善意の第三者に対して、登記名義人が所有権を取得していないことをもって対抗することをえないものと解するのが相当である。」

ここでは，真の権利者が不実の登記に積極的に関与していなくても，他人の手による不実の登記を「承認していた」と評価できる場合には，94条2項の類推適用により不実の登記について善意の第三者の保護が認められるというルールが示されている。虚偽の登記という外観が本人の意図のもとで存続しているという点において，本人の帰責性が94条2項の場合と同程度に大きいと評価できるからである。

(2) 意思外形非対応型

　最判昭和47年11月28日（民集26巻9号1715頁）は，Xが，所有する土地甲について，Aと通じて，仮装の所有権移転請求権保全の仮登記手続を経由しようとして諸書類に署名・押印等をしたところ，Aが，それら書類を用いて本件土地につきYへの所有権移転登記手続をしたという事案である。

　Aから本件土地の所有権を譲り受けたYについて，最高裁は「民法94条2項，同法110条の法意に照らして」，Yが善意・無過失であるならばXはAの所有権取得の無効をもってYに対抗しえないものと判示し，XからYに対して行われた所有権移転登記の抹消登記手続請求を棄却した。

　この事案における特徴は，Xは，Aと通じて虚偽の登記手続を行おうとしているが，意図していた虚偽の外観（所有権移転請求権保全仮登記）とは異なる虚偽の外観（所有権移転登記）がAによって作り出されているという点である。

　このような場合，「94条2項の類推適用」によって，善意のYを保護するのは若干難しい。確かに，Xには虚偽の外観を積極的に作出した点で帰責性が存在するが，実際に生じている虚偽の外観は自らの意図のもとで存続させようとしたものとは異なっているからである。つまり，94条の「相手方と通じてした意思表示」と同視することができるほどの帰責性を，Xに認めることはできないように思える。

　そこで最高裁は，権利外観法理を構成する3つの要素のブレンドを少しだけ変えた新しいルールを用意している。すなわちこの判決では，Yが保護されるためには，善意であるだけでなく，無過失でもあることも要求しているのである。つまり，94条2項本来の適用場面に比べて，虚偽の外観作出に対する本人の帰責性が弱い分，外観に対する信頼の正当性を厳格に要求しようとして

いるのである。

意思外形非対応型における最高裁は,「民法94条2項, 同法110条の法意に照らして」94条2項をベースに, しかしそのものとは異なる新たなルールを作り出していることがわかるだろう。

8 本人非関与型への拡張

そこで, 4で検討した平成15年6月13日の最高裁判決に戻ろう。ここまでの説明から, この判決において最高裁は, 意思外形対応型に関する昭和45年最判や, 意思外形非対応型に関する昭和47年最判など, 94条2項をベースにそこから派生した第三者保護ルールを意識していることがわかるだろう。すなわち, 平成15年最判は「Xは, 本件土地建物〔甲〕の虚偽の権利の帰属を示す外観の作出につき何ら積極的な関与をしておらず, 本件第1登記を放置していたとみることもできない」として, 真の権利者が虚偽の権利の帰属を示す外観の作出につき何ら積極的な関与をしたか, あるいは不実の登記を放置していたと見ることができる事情があるときでなければ, 「民法94条2項, 110条の法意に照らしても, Aに本件土地建物の所有権が移転していないことをYに対抗し得ないとする事情はない」とした。いってみれば, 権利外観法理の3要素のうち, 真の権利者の帰責性の要素が小さすぎて, 94条2項をベースにしたブレンドのバランスが崩れてしまうので, そのような第三者保護ルールを構成することはできないということである。

では, 常にそのようにいえるのだろうか。ここで, 最判平成18年2月23日 (民集60巻2号546頁) を紹介しよう。次のような事案である。

> **Case4** Xは, 知人Aの紹介した人物から, 土地建物（甲不動産）を7300万円で購入した。Xは, Aに対し, 甲不動産を第三者に賃貸するよう取り計らってほしいと依頼し, Aに言われるままに, 諸経費の名目で240万円を交付した。Xは, Aの紹介により甲不動産を第三者に賃貸したが, その際の賃借人との交渉, 賃貸借契約書の作成および敷金等の授受は, Aを介して行われた。

> その後、Xは、Aから上記の240万円を返還する手続をするので甲不動産の登記済証を預からせてほしいと言われ、これをAに預けた。またXは、以前購入した別の土地（乙土地）についてもAに登記手続等を依頼していた関係で、その登記手続に必要であると言われて印鑑登録証明書4通をAに交付している。
> さらに半年ほどたって、Xは、Aから乙土地の登記手続に必要であると言われて実印を渡し、Aがその場で所持していた甲不動産の登記申請書に押印するのを漫然と見ていた。同日、Aは、Xから預かっていた甲不動産の登記済証、印鑑登録証明書、登記申請書を用いて、甲不動産について売買を原因とする所有権移転登記手続をした。
> その約1ヵ月半後、Aは、Yに対して、甲不動産を代金3500万円で売り渡す旨の契約を締結し、これに基づき、AからYに対する所有権移転登記がされた。Yは、甲不動産の登記等からAが甲不動産の所有者であると善意・無過失で信じていた。
> XはYに対して、甲不動産の所有権はいまだ自分にあるとして、所有権移転登記の抹消登記手続を請求した。

　この判決の事実関係は、平成15年最判とそれほど大きく異なるものではない。つまり、Xは不実の移転登記に積極的に関与しているわけではなく、また不実の登記を知りながら放置していたというわけでもない。しかし、この判決で最高裁は、次のように述べてXの請求を棄却し、Yを保護した。少し長めに引用しておこう。とくに、私が下線により強調した部分に着目してほしい。

　「前記確定事実によれば、Xは、Aに対し、甲不動産の賃貸に係る事務及び乙土地についての所有権移転登記等の手続を任せていたのであるが、そのために必要であるとは考えられない甲不動産の登記済証を合理的な理由もないのにAに預けて数か月間にわたってこれを放置し、Aから乙土地の登記手続に必要と言われて2回にわたって印鑑登録証明書4通をAに交付し、甲不動産を売却する意思がないのにAの言うままに本件売買契約書に署名押印するなど、Aによって甲不動産がほしいままに処分されかねない状況を生じさせていた

にもかかわらず，これを顧みることなく，さらに，本件（甲不動産の）登記がされた平成12年2月1日には，Aの言うままに実印を渡し，Aが上告人の面前でこれを甲不動産の登記申請書に押捺したのに，その内容を確認したり使途を問いただしたりすることもなく漫然とこれを見ていたというのである。そうすると，Aが甲不動産の登記済証，Xの印鑑登録証明書及びXを申請者とする登記申請書を用いて本件登記手続をすることができたのは，上記のようなXの余りにも不注意な行為によるものであり，Aによって虚偽の外観（不実の登記）が作出されたことについてのXの帰責性の程度は，自ら外観の作出に積極的に関与した場合やこれを知りながらあえて放置した場合と同視し得るほど重いものというべきである。そして，前記確定事実によれば，Yは，Aが所有者であるとの外観を信じ，また，そのように信ずることについて過失がなかったというのであるから，民法94条2項，110条の類推適用により，Xは，Aが本件不動産の所有権を取得していないことをYに対し主張することができないものと解するのが相当である。」

　この判決で，最高裁は，真の権利者であるXの帰責性の程度が非常に重いことを理由に，意思外形対応型の場合とも，意思外形非対応型の場合とも異なる場面で第三者Yを保護した。

　この判決に対しては，「真正権利者の意思的承認がない場合に，民法94条2項の類推適用を認めることは，もはや『類推適用』の限界を逸脱している」といった評価もあり（磯村保『平成18年度重要判例解説』（有斐閣）67頁），また従来の94条2項の類推適用の判例に対する理解と整合的なのかどうかについても明らかではない部分がある。しかし，「Xの帰責性の程度は，自ら外観の作出に積極的に関与した場合やこれを知りながらあえて放置した場合と同視し得るほど重い」という文言からは，最高裁が，少なくともこの事案に関しては，Yを保護しても94条2項の背後にある権利外観法理の3つの要素のブレンドのバランスが完全には崩れないと判断していることは見て取れる。おそらく，XがAに対して，甲不動産の賃貸借契約締結や乙土地の登記手続の代理権を授与するなど，日ごろからAを全面的に信頼して何の注意も払わなかったという事情が少なからず関係しているだろう。本判決が「民法94条2項，同法

110条の法意に照らして」ではなく,「民法94条2項,110条の類推適用により」Yの保護を認めたのは,Xの帰責性が,代理人の代理権限の逸脱行為を見逃した本人の帰責性に類似するからではないかという理解もありうる(佐久間毅『民法判例百選Ⅰ総則・物権(第7版)』〔有斐閣,2015〕47頁)。

9　不動産取引法として見た94条2項

　以上のように見てくると,94条2項の類推適用として教科書で説明されている法解釈,判例の展開は,条文解釈としてはかなり大胆で,ある意味では特殊なものであることがわかる。どうしてこのような解釈が許されてきたのだろうか。

　1つの説明は,わが国の物権法の特徴にある。わが国の物権法では,不動産について公示主義がとられ,公信主義はとられていない。つまり,不動産の登記名義を信じて取引をした者が,必ずしも保護されるわけではないという前提で制度が作られている。これは即時取得(192条)が認められる動産の場合と大きく異なる点である。

　このため,登記名義を信じて不動産を購入したところ,全く別の者が真の所有者として登場し,自らの所有権を否定される(登記に公信力がない)という事態が生じることになる。しかし,これは不動産取引の安全を著しく害するから,少なくとも一定の場合には登記名義を信じた者を保護する必要性がある。そこで生み出された解釈が,94条2項の類推適用なのである。

　このような背景事情を知った上で,改めて94条2項の類推適用に関する判例を見ると,そのほとんどが,不動産取引に関するものであることにも気づくだろう。つまり,判例による94条2項の類推適用に関する大胆な法解釈は,不動産取引を安定的にするためのルール設定という側面があるのである。

　では,動産取引の場合はどうなるのか。ここで,5で引用した内田教授の記述を思い出してほしい。内田教授によれば,動産物権変動における公信の原則は,権利外観法理の一環であるということだった。つまり,動産取引の場合における権利外観法理の3要素のブレンドは,即時取得に関する192条の規定中にそのレシピが隠されていることになる。具体的には,「取引行為によって,

平穏に，かつ，公然と，動産の占有を始めた者」は，前の占有者が真の権利者ではないということについて「善意であり，かつ，過失がないときは」，権利を取得することができる。

　ここでは，真の権利者の帰責性が直接には問題とされていない。しかし，193条は「占有物が盗品又は遺失物であるとき」は，2年間は即時取得が成立しないと定めている。これは，真の権利者の帰責性が少ない場合に即時取得の成立を容易に認めないための規定である。つまり，192条が想定しているのは真の権利者が他人に自己の所有物を預けたような場合，すなわち占有者が真の権利者でないという状況を権利者自らが作出したような場合であることがわかる。192条の背後にある権利外観法理において，本人の帰責性の要素は，そのようなものとしてブレンドされているのである。

　このように見てくると，動産取引の場面において，不動産取引のときと同じように94条2項の類推適用を語ることには慎重であるべきだろう。動産取引には動産取引の，カクテル・レシピが存在するのである。

第3節　動機の錯誤——学説と判例にどう向き合うか

1　はじめに

　この節では，民法のなかでも学説の論争がある分野を取り上げて，学説や判例との向き合い方について考えてもらおうと思う。ただ，民法は平成29年に債権法分野の大改正があったおかげで，従来の学説の論争が解消された分野も多い。本書初版で取り上げた「瑕疵担保責任」（改正前570条）の論争は，その典型例である。民法の見通しが良くなったのは大変ありがたいが，取り上げる題材が減ったので実は少し困っている。ここで取り上げる「動機の錯誤」は，民法95条の解釈をめぐる議論なのだが，後で見るように同条も大きく改正された結果，改正前とは論争の様子がかなり変わることになった。ただし，動機の錯誤をめぐる論争は完全に解消されたわけではなく，むしろ従来とは異なる形で存続しそうである。このため，初学者にはやや込み入った議論になることを承知で，あえて本節で取り上げることにした。

　この節で，学生に意識してもらいたいのは，法解釈上の議論がある条文について解釈論を展開しないといけないとき，覚えやすい学説を1つだけ丸暗記して，意味も分からず試験答案に書いたりするのは，良いことではないという当たり前のことだ。法解釈の学説というのは，背後にある原理や原則から，条文の読み方や用語の定義を導いている。複数ある学説が，どういうレベルで対立していて，その結果が条文の読み方にどのように反映しているのかを理解しないと，学説を学ぶ意味はない。それは，そうした学説の1つを判例が採用している場合でもあてはまる。もちろん，判例の立場を知っていることは重要なことなのだけれど，判例の言い回しをただ丸暗記しても，そのことによって法解釈の力が伸びたとはいえない。判例に対する学説の批判が，どういう意図で行われているのかを理解することで，判例自体の理解も深まることを知ってほしい。

2 動機の錯誤とは

(1) 財産分与契約の錯誤

> **Case5** ある夫婦が、夫の浮気をきっかけに協議離婚することになった。夫は妻への謝罪も兼ねて、自分の所有であった自宅土地建物を、まるごと妻に財産分与することにした。そのためには、離婚の合意とは別に、自宅土地建物の所有権を夫から妻へ譲渡する財産分与契約を締結する必要がある。財産分与契約を結ぶにあたって、夫は妻に、自宅土地建物の価額はかなり高いけれど、君に税金は払えるかい、と尋ね、妻は夫に、そのぐらいはなんとかするわと応じた。そして2人は、離婚届と財産分与契約書にサインをして、ハンコを押した。

　まるでドラマのワンシーンだが、問題はここで夫が、重大な勘違いをしている点だ。税法上、財産分与で税金を納めるのは、分与を受ける側ではなく、分与をする側とされている。つまり自宅土地建物の価額に応じた納税をするのは、夫なのである。ところが夫は、妻が税金を納めるものと思い込んで、財産分与契約を締結してしまっている。

　後になって夫は、上司に指摘されて自分の間違いに気づく。そして、この前の財産分与契約はなかったことにして欲しいと妻に泣きつくことになる。シリアスなドラマがぶち壊しだが、最判平成元年9月14日（判時1336号93頁・判例タイムズ718号75頁）の事件のきっかけは、おそらくこんなところだったと想像する。実際の事件では、妻が夫の要求を拒絶したため、夫は妻を相手取って、自宅土地建物の所有権移転登記の抹消を請求した。その根拠は、夫による財産分与契約締結の意思表示は、錯誤に基づくもので無効であり、所有権は移転していないというものである。

　ここでの夫の錯誤、すなわち勘違いとは、妻に財産分与をしたときの納税義務者は妻であると誤解していた点である。これは、財産分与契約とはどんなものかを誤解していたとか、分与する目的財産を誤解していたといった、財産分与契約の内容についての錯誤とは区別して扱われる。財産分与契約の内容そのものについての誤解は、誰にとっても重大な意味を持つ。しかし、財産分与契

約を結ぶときに,税金をどちらが納めるかについての誤解は,それを重要視する人もいれば,しない人もいる。私たちは契約締結前にさまざまな考慮をし,何が意思表示を決定づけるかは,人それぞれだからである。契約などの法律行為をする際の,意思表示の内容に含まれているとはいえないが,当該意思表示をした者の意思形成には意味があったと思われる勘違いのことを,民法では「動機の錯誤」と呼ぶのである。

(2) 95条の条文

錯誤についての条文を見てみよう。民法95条1項は,次のように規定する。

> 民法95条① 意思表示は,次に掲げる錯誤に基づくものであって,その錯誤が法律行為の目的及び取引上の社会通念に照らして重要なものであるときは,取り消すことができる。
> 一 意思表示に対応する意思を欠く錯誤
> 二 表意者が法律行為の基礎とした事情についてのその認識が真実に反する錯誤

95条1項では,意思表示の取消原因として,2種類の錯誤が箇条書きされている。箇条書きの前にある漢数字を「号数」と呼ぶので,ここでは1号錯誤と2号錯誤と呼ぶことにしよう。1号錯誤というのは,表意者の意思が意思表示に対応していない場合である。財産分与契約とはどのような契約かを誤解していた場合や,分与する財産の範囲を誤解していた場合がこれにあたる。財産分与契約の内容そのものを誤解していたために,契約締結の意思表示が外見上あるようでも,真にその契約をする意思があったとはいえないという場合ということができるだろう。

これに対して,2号錯誤というのは,意思表示をした者が,契約(法律行為)の基礎とした事情についての認識を問題にしている。Case5 でいうと,財産分与の際の税金という事情について,分与を受ける側が納税義務者であるとの認識がこれに当たる。夫はこのような認識を基礎に財産分与契約を締結したのだが,その認識が真実に反していた。したがって動機の錯誤とは,95条1項1号ではなく,2号で意思表示を取り消すことができる錯誤のことを指すことが

分かる。

(3) 基礎事情の表示とは？

続けて民法95条2項を見てみよう。

> ② 前項第2号の規定による意思表示の取消しは、その事情が法律行為の基礎とされていることが表示されていたときに限り、することができる。

95条2項によると、2号錯誤について意思表示を取り消す場合には、「その事情」が法律行為の基礎とされていることについて表示されている必要がある。「その事情」とは「表意者が法律行為の基礎とした事情」のことだから、同項の意味は、表意者が法律行為の基礎とした事情についてのその認識が真実に反する錯誤に基づく意思表示の取消しは、表意者が法律行為の基礎とした事情が法律行為の基礎とされていることが表示されていたときに限り、することができるということだ。1号錯誤にはこのような条文はないから、これは動機の錯誤により意思表示が取り消される場合の付加的な要件であることが分かる。

さて、Case5 に戻って、夫が財産分与契約締結の意思表示をする際に、「表意者が法律行為の基礎とした事情」（以下、「基礎事情」と呼ぶ）は表示されていたといえるだろうか。夫が妻に、税金を払えるか気づかう発言をしたことが、これに当たるのだろうか。そもそも、誰がどのように表示したら、基礎事情の表示があったといえるのか。この条文からはよく分からない。

では判例を見れば手がかりがつかめるだろうか。Case5 の元になった平成元年9月14日判決では、最高裁は夫の錯誤に基づき財産分与契約の無効を認めている。ただし、このときの民法95条の条文は、上で紹介した現行規定とはまったく異なる。このため改正前の95条を手がかりに、同様の事件を現行95条の下で解決するためには、改正前の95条でどのような議論があり、現行95条の条文につながったのかを確認する必要がある。

3 改正前民法95条をめぐる議論

(1) 要素の錯誤

平成29年改正前の民法95条は，次のような条文だった。

> 民法95条　意思表示は，法律行為の要素に錯誤があったときは，無効とする。ただし，表意者に重大な過失があったときは，表意者は，自らその無効を主張することができない。

第4項まである現行規定と違い，改正前民法の95条はこの短い2つの文だけだった。現行95条1項・2項に対応するのは，第1文である。つまり，意思表示の効力が否定されるかどうかは，「法律行為の要素に錯誤があった」かどうかという要件のみによって判断されていたのである。しかも，「法律行為の要素」という語は，明治期に民法を起草する際，意思表示の動機に錯誤があるだけでは意思表示は無効にならないということを明らかにする意図で採用されたことも分かっている。取引の安全を重視して，錯誤に基づき意思表示が無効になる範囲を極力狭めようとしたのである。

ただし，改正前民法95条で動機の錯誤を一切考慮しないという起草者らの目論見は，民法制定後かなり早い段階で放棄された。もともと，「法律行為の要素」という語について，完全に理解の一致があったわけではなく，動機の錯誤は考慮されないということでは一致していても，どこまでが「法律行為の要素」の錯誤で，どこからが動機の錯誤かの区別ははっきりしなかった。そうしたなか，民法起草者の1人である富井政章が，ドイツの理論を参考に画期的な学説を生み出した。同条の「法律行為の要素」は，意思表示の重要な内容と理解すべきだというのである。そうすると，動機はここに含まれないのが原則だが，表意者が動機を意思表示の内容に含めた場合には，それが重要であれば「法律行為の要素」になることになる。

富井は，この学説を提唱した教科書の中で，「法律行為の要素」という語にこだわって解釈してはいけないと述べているから，民法を起草した当時はこのような解釈をとっていなかったことは明らかである（富井政章『民法原論第1巻総論』443頁〔有斐閣，大正11年版〕）。しかし考えてみると，いくら取引の安全

を守るためとはいえ,「法律行為の要素」をあまり硬直的に解釈すると,表意者保護に欠ける。意思表示の重要な内容について錯誤がある場合に無効を認め,かつ,何が意思表示の内容かは,表意者によって異なるとする富井説は,取引の安全に配慮しながら適度な柔軟性を含むという点では優れた学説である。

(2) 動機の表示

「法律行為の要素」の錯誤を,意思表示の重要な内容の錯誤と読み替え,動機が意思表示の内容になったときは,その錯誤が改正前民法 95 条で考慮されるとする富井説は,その後の通説的見解の出発点になった。そこで次に問題になったのが,意思表示の内容に錯誤があるということの意味である。

Case5 の財産分与契約の動機の錯誤の例で考えてみよう。夫が財産分与の税金は妻が払うのだと思い込んで,自宅土地建物を妻に分与する契約を締結した場合に,納税義務を妻が負うという夫の動機が,意思表示の内容に含まれているとはどういうことだろうか。普通に考えると,財産分与契約を締結しようとする意思表示とあわせて,納税義務を妻が負うということが表示されていたということだろう。意思表示の際に動機が表示されると,動機も含めて意思表示の内容になるというふうに考えられそうである。

こうした考え方は,判例にも採用されている。動機の錯誤が例外的に意思表示を無効にする余地を認める判例は,大正期にはすでに出現しているが,その理由付けは必ずしも安定していなかった。しかし,最判昭和 29 年 11 月 26 日(民集 8 巻 11 号 2087 頁)は,「意思表示をなすについての動機は表意者が当該意思表示の内容としてこれを相手方に表示した場合でない限り法律行為の要素とはならない」いう立場をはっきり打ち出している。

ところが,このように考えると,動機の錯誤によって意思表示が無効になる理由が,よく分からなくなるのである。もともと,錯誤に基づく意思表示が無効になるのは,意思表示に対応する意思が欠けているからであると説明されてきた。例えば,甲不動産を財産分与するつもりで,乙不動産を分与する内容の契約書に署名をしてしまった場合は,このような説明がうまく当てはまることが分かる。しかし,動機の錯誤の例としてあげた,財産分与で課税されるのは,分与される側であるという勘違いの例では,この説明が当てはまらない。なぜ

なら，納税義務を負うのは妻であるという動機が，夫の意思表示の内容になっているなら，夫は自分の意思と対応した意思表示をしていることになるからである。この場合の夫の錯誤とは，財産分与の納税義務者は法律によって決まっているので，納税義務を妻が負うという財産分与契約は，合意しても実現が不可能（履行不能）だという点である。動機の錯誤の問題は，意思表示と意思の不一致ではなく，意思表示に含まれている内容が，現実と合わないという問題なのである。そうすると，動機の錯誤がどうして無効になるのか，その説明を新たに考える必要が生じる。

戦前から戦後にかけて，わが国の民法解釈論をリードした我妻栄は，この点を次のように説明している。錯誤とは，動機を含めて表示されたところから推断されるところと，表意者の真に意図するところとにくい違いがある場合であり，そうした場合には相手方に不測の損害を被らせない限りで，表意者を保護すべき理由がある。ただし，動機は表示されず相手方が知らない場合が多いので，表示された動機は意思表示の内容となり，その限りで錯誤の影響を受ける（我妻栄『新訂民法総則（民法講義Ⅰ）』295-297頁〔岩波書店，1965〕）。つまり，表意者が錯誤によって真に意図する法律行為をできていないなら保護の必要性はあるが，常に無効を認めては相手方の取引の安全が害される。しかし，動機の表示がある場合には，相手方が動機を知っているのだから，意思表示を無効にしても問題はないというのである。我妻説の優れた点は，動機が表示され意思表示の内容となると「法律行為の要素」となるという判例及び通説の立場を維持しながら，動機の表示が必要とされる理由を表意者保護と取引の安全のバランスを取るためであると，一歩踏み込んだ説明をした点にあるといえるだろう。

(3) 認識可能性

我妻説は，判例の立場に近いこともあり，長く影響力を保ったが，その後の学説では，我妻説の理論的な不徹底さを批判するようになる。表示された動機の錯誤が意思表示を無効にするのは，動機が表示されれば，相手方の不測の損害を被ることがないからであるという我妻説の説明は，2つの点で理論的に徹底されていない。

第1に，動機の錯誤は表意者保護の必要性があるが，取引の安全を考慮する

必要があるというのであれば、必ずしも動機の表示を問題にする必要はない。表意者の表示がなくても、相手方が、表意者の錯誤や動機について認識していた場合、さらには、注意深い相手方なら認識できたという場合であれば、表意者を保護してよいのではないか。そこで、表意者の動機の表示ではなく、相手方のこうした認識可能性を要件にするべきだという考え方が生まれる。

第2に、錯誤により意思表示が無効になることで、相手方が不測の損害をこうむるのは、なにも動機の錯誤に限った話ではない。意思表示に対応する意思を欠く錯誤でも、意思表示が無効になれば相手方は不測の損害を受けることがある。そうすると、動機の錯誤の場合にだけ、動機の表示という要件を加えるのはおかしいのではないか。

そこで、相手方の認識可能性は、民法95条の「法律行為の要素」の錯誤により意思表示が無効になるための、統一的な要件と考えるべきだという考え方が生まれる。

第1の考え方と第2の考え方を組み合わせ、民法95条の「法律行為の要素」の錯誤を、相手方の認識可能性という統一的な要件で捉える学説を、一元説と呼ぶ。一元説は、判例に採用されることはなかったが、それでも同条の解釈に大きな影響を与えた部分がある。それは、動機の表示という要件を、柔軟に考えるべきではないかという気づきを与えた点である。 Case5 の元になった、最判平成元年9月14日で、最高裁は次のように述べている。

「……動機が黙示的に表示されているときであっても、これが法律行為の内容となることを妨げるものではない。……事実関係からすると、本件財産分与契約の際、……〔夫は〕財産分与を受ける〔妻に〕課税されることを心配してこれを気遣う発言をしたというのであり、……〔妻も〕自己に課税されるものと理解していたことが窺われる。そうとすれば、〔夫が〕右財産分与に伴う課税の点を重視していたのみならず、他に特段の事情がない限り、自己に課税されないことを当然の前提とし、かつ、その旨を黙示的には表示していたものといわざるをえない。」

要するに、財産分与契約を締結する過程の夫と妻の一連の行動をみれば、こ

の場合は動機の表示があったものと評価して構わないということである。動機が表示されることより，相手方に認識されていることが大事なのだと考えるなら，こういう解釈もおかしくないことになる。

4 現行民法95条の解釈をめぐる議論

(1) 過去の学説の蓄積としての現行民法95条

ここまで，動機の錯誤に関する改正前民法95条についての解釈論をたどってきたが，順番に読み進めてきた読者であれば，これらの議論はすべて，現行民法95条1項・2項の条文の解釈に参考になることが分かるだろう。順番に見ていこう。

現行民法95条1項では，錯誤によって意思表示が取り消され無効となる場合が1号と2号に分けられ，2号錯誤すなわち「表意者が法律行為の基礎とした事情についてのその認識が真実に反する錯誤」については，95条2項により「その事情が法律行為の基礎とされていることが表示されていたとき」でなければ意思表示を取り消して無効とすることができない。これは，改正前民法95条の下では，動機の錯誤は，意思表示に対応する意思を欠いているわけではないので，「法律行為の要素」の錯誤にはならないのが原則だが，動機が表示されたときは例外的に「法律行為の要素」となるとした判例・通説の立場を反映している。

したがって，現行民法95条1項2号の，「表意者が法律行為の基礎とした事情についてのその認識が真実に反する錯誤」というのは，従来なら動機の錯誤と呼ばれていたものを，書き直したものなのである。どうして素直に，「動機の錯誤」と書かなかったのかと思うかもしれないが，ここまでの議論をたどってきた読者であれば，ここで問題になっているのは，日常用語でいう動機（英語のmotivation）ではなくて，表意者が行為時に前提（基礎）にしていた事情であることに気づくだろう。

さらに，現行民法95条2項の基礎事情の表示という要件は，改正前民法の動機の表示に対応する要件だから，以前の学説で指摘されていたように，表示があったかどうかは，表意者側の事情だけでなく，相手方の認識可能性も考慮

しながら、柔軟に解釈すべきことになる。くり返し言及してきた Case5 の財産分与契約の納税義務者についての錯誤の例であれば、基礎事情は黙示的に表示されていたとされ、改正前民法と同じ結論が導かれると考えるのが自然なわけである。

このように、条文が改正されても、その解釈には過去の学説による議論の蓄積が影響を与えることが分かる。改正前に「法律行為の要素」という文言の読み方をめぐって争われてきた学説の対立が、動機の錯誤という新たな領域を生み出し、意思表示を無効にする理由や、取引の安全とのバランスのとり方といった、さまざまな考慮を経て現行条文に反映しているのである。

(2) 法律行為内容化説

民法の改正によって、動機の錯誤をめぐる議論は全て解消されたのかというと、そんなことはない。改正前民法 95 条について「法律行為の要素」の読み方が定まらなかったように、現行民法 95 条でも、「その事情が法律行為の基礎とされていることが表示されていたとき」の読み方は、完全に定まっているわけではない。その例として最近の判例を紹介する。

最判平成 28 年 1 月 12 日（民集 70 巻 1 号 1 頁）は、平成 29 年民法改正前の判決であるが、改正に向けた議論が相当程度進んだ段階で、最高裁が新たに示した判例であり、かつその内容が従来の判例よりもかなり踏み込んだものであったことが注目を集めた。

まず前提知識を説明しておく。銀行などの金融機関が企業に融資をする際には、信用保証協会と保証契約を締結して保証人になってもらい、貸し付けた金銭を企業から回収できない場合には、信用保証協会に保証債務の履行を求めるのが一般的である。信用保証協会は、融資をうける企業から保証委託料を受け取る代わりに、万一の場合に企業の返済を肩代わりする。これによって、銀行は、経営の不安定な中小企業などにも安心して貸付けを行うことができる。

銀行 X は、A 社への融資として合計 8000 万円の金銭消費貸借契約を締結した。その際、X は、Y 信用保証協会との間で、事前の取決め（基本契約）に基づいて、A の X に対する債務について、Y が保証人となる保証契約を締結した。ところがその後、A は、暴力団員が経営する会社（反社会的勢力）である

ことが判明した。Aは，Xに対する返済をしなかったので，XはYに対して，上記保証契約に基づく保証債務の履行を請求した。これに対して，Yは，主債務者が反社会的勢力であることを知らずに締結した本件各保証契約は，「法律行為の要素」に錯誤があるため無効であると反論した。

XY間の保証契約が締結された当時，政府は，反社会的勢力との関係を断つよう銀行や信用保証協会を監督していた。したがってYは保証契約の際に，Aが反社会的勢力かどうかを重視していたと思われるし，重視していたことをXも知っていたと考えるのが自然である。Aが反社会的勢力ではないことが，Yが保証契約を締結する際の動機（＝基礎事情）になっていたとするならば，その動機はYからXに黙示的に表示されていたといえるのではないか。そうすると，Aが実際には反社会的勢力であったとすれば，Yの保証契約締結の意思表示は，表示された動機の錯誤として無効になるべきではないか。動機の錯誤に関する従来の考え方からすると，そういう結論が導かれてもおかしくないように見える。

しかし，最高裁は，Yの錯誤の反論を認めず，Xの請求を認めた。判決を読むと，次のように述べている。

「意思表示における動機の錯誤が法律行為の要素に錯誤があるものとしてその無効を来すためには，その動機が相手方に表示されて法律行為の内容となり，もし錯誤がなかったならば表意者がその意思表示をしなかったであろうと認められる場合であることを要する。そして，動機は，たとえそれが表示されても，当事者の意思解釈上，それが法律行為の内容とされたものと認められない限り，表意者の意思表示に要素の錯誤はない……」。

この判決で最高裁は，動機は表示されても，法律行為の内容とならなければ，「法律行為の要素」の錯誤と認められないという。このような立場は，平成期に入ってから学説のなかで有力化した，法律行為内容化説と呼ばれる立場に近い。法律行為内容化説とは，動機が表意者によって表示されるか，相手方によって認識可能かといった点よりも，動機が法律行為の内容に含まれているかどうかを重視する考え方である。この事例でいえば，保証契約の内容に，Aが

反社会的勢力であれば保証契約の効力を否定するということが含まれていないと，Yの意思表示は錯誤によって無効とはならない。

(3) 基礎事情の表示をめぐる今後の展望

法律行為内容化説では，現行民法95条の「その事情が法律行為の基礎とされていることが表示されていたとき」という要件について，動機（＝基礎事情）が法律行為の内容として表示されたということだと理解する。この学説は，動機の錯誤により意思表示が無効になる理由を，おおよそ次のように理解している。民法の基本原理である私的自治の原則の前提にあるのは自己責任の原則であり，表意者は，自ら意思表示をした以上は，動機となった事情が真実に反していたことが後から判明しても，意思表示に拘束されるのが原則である。そうでない場合とは，その事情が真実に反していたときは意思表示の効力が失われる点を，双方が法律行為の前提にしている場合である。つまり，動機の錯誤により意思表示を取り消すことができるのは，法律行為の内容にそうした前提が含まれている場合に限られる。

従来の学説が，動機の錯誤でも表意者保護の必要があるが，取引の安全を考慮して動機が表示された場合に限定して意思表示を無効とすると説明していたのに対して，法律行為内容化説の説明は，動機の錯誤は本来なら保護に値しないという原則から出発して，動機の錯誤を考慮する前提が共有されていたかを問題にする。動機の錯誤を考慮することについて相手方も前提にしているのだから，意思表示が無効になる理由を改めて説明する必要はないし，取引の安全が害されることもない。しかも，動機の表示があっても，意思表示の無効が認められない場合があることを上手く説明できるところに，この説のメリットがある。

法律行為内容化説で注意しなければならないのは，動機の錯誤を考慮するという前提が法律行為の内容に含まれていたかどうかの判断は，相当な柔軟さが求められるという点である。先ほどからくり返し例にあげていた，Case5の財産分与契約のケースに戻ろう。夫から妻への自宅土地建物の財産分与の際に，夫が妻に，自宅土地建物の価額はかなり高いけれど，君に税金は払えるかい，と尋ね，妻は夫に，そのぐらいはなんとかするわと応じたとする。法律行為内

容化説では，このケースで夫の錯誤により財産分与契約が無効になるとすれば，この会話により妻は，納税義務を負うのが自分でないなら，財産分与契約は無効でよいという前提を受け入れたからだということになる。

　実際には，妻がそうした前提を意識的に受け入れたという事実はない。ただ，夫婦間で離婚に向け財産分与契約を締結する際に，税金まで考慮に入れた話し合いが行われている以上は，この点に重大な事実誤認があれば財産分与契約をやり直すことが暗黙の前提になっていたと理解することはできるだろう。このことは，法律行為内容化説の基準が見た目ほど明快なものではなく，契約交渉過程のさまざまな事情を柔軟に考慮しなければならないことを意味する。今後は，こうした点の解明が求められることになろう。

5　おわりに

　動機の錯誤をめぐる学説を，かなり詳細に確認してきた。法解釈の学説というのは，従来の条文の読み方の不都合な部分を改善するために提唱される。しかし，過去の学説の読み方にも相応の理由があるのであり，その理解を土台として，新たな学説が積み重ねられていく。通説とならなかった学説も，従来の条文の読み方の不都合を適切に指摘していれば，通説に影響を与えることがある。法改正があっても，そうした議論の影響が，完全に失われるわけではない。

　ここまで読んでくれば，現在の通説と呼ばれる学説の提唱するルールを，ただ丸暗記しても法解釈の力がついたことにはならないという意味が分かると思う。通説の読み方が，どのような議論を経て確立したのかの経緯を知ることが，法解釈の力をつけるために大事なのである。

（山下）

第 8 章

刑　　法

第 1 節　財産犯と民事法

1　はじめに——条文から始めよう

　日本のみならず，ほとんどの先進国で，刑法犯のうち認知件数（警察において犯罪として認識された件数）が最も多いのは，窃盗罪である（たとえば，平成30年であれば約71％をしめる〔令和元年版犯罪白書による〕）。

　この罪は，刑法235条に定められている（こういわれたら，すぐ六法を開こう）。「他人の財物を窃取した者は……」。窃取というのは，盗む，ということだが，では「**他人の財物**」とは，何を意味するのだろうか？

　実は，他の多くの場合と同じく，この条文だけ見ても，意味は明らかではない。関連する条文と照らし合わせながら，全体の文脈の中で，それが持つ意味を考えなければならないのである（もっとも，独力で，直ちにそれができるようにはならない。授業を聴いたり，教科書を読む必要がある）。

　ここで関連する条文は，「自己の財物であっても，他人が占有……するものであるときは，……他人の財物とみなす」と定める242条である。同条においては，「自己の財物であっても，他人が占有」とされている。そうだとすると，235条にいう「他人の財物」は，他人が占有する財物という意味ではなさそうである（235条をそのような意味に解してしまうと，「他人が占有する」財物であれば，それが自己の財物であっても，常に「他人の財物」に当たることになるから，242条をわざわざ置く理由がないことになり，不整合である）。そうすると，ここにいう「他人の」は，「他人所有の」という意味となり，242条は，自己の所有物につい

ても、他人が「占有」している場合について、「処罰範囲を拡張する例外規定」と解釈できそうである（判例〔最決昭和52・3・25刑集31巻2号96頁〕・多数説。ただし異論もないではない。第1部第2章2で、ある条文の意味を理解するためには、他の条文も参照すべき、といったが、その現れである）。

2 どのような考慮から、対立点が生まれるかを理解しよう

(1) 金銭と所有権

それでは、この他人の「所有する」財物（あるいは物。この2つの言葉は、実は完全に同じではないのだが、その差異は、今回の話には関係しないので省略する）という言葉は、どのような意味なのだろうか。この言葉は、他の財産犯においても用いられているため、その解釈は、窃盗罪のみならず、他の財産犯においても、問題となる。

それでは、これをどのように解釈すべきなのだろうか？　まず、思いつくのは、ある財物が誰に帰属するかを決めているのは、民法をはじめとする民事法なので、それに従う、ということだろう。

その出発点は、基本的には正しい。民事法を抜きにして、ある物が誰の所有に属するかを判断することなどできない。

しかし、刑法上の概念が、民法上のそれと全く同じでなければならない必然性はない。それは次のような理由による。それぞれの法律には、目的があり、各概念も、そうした法の目的に合わせて解釈する必要があるが、民法の目的は、**私人間の財産関係において、衡平を実現することであり、違法行為を処罰することで、犯罪の予防を図る刑法**（本当は、いろいろ細かい議論があるのだが、いまはこのくらいに理解しておけばよい）とは、目的が異なる。そのため、概念に差が生じうるのである（このような現象は「**概念の相対性**」と呼ばれる）。

一例を挙げよう。民法では、一般に、金銭の所有権は、その占有者にあるといわれる（最判昭和39・1・24判時365号26頁。ただし、「原則として」という留保はある）。それは、金銭の流通確保を図るためといわれている。たとえば、次のような事案を考えてみよう。

> **Case1** 　AがBに100万円預けたところ，借金に苦しんでいたBは，その金で，自己のCに対する債務を弁済した。

　この場合，もし仮に，金銭を通常の動産と同じに扱うとすれば，Cは，100万円がBの所有物であることについて，善意・無過失（もし，意味が分からなければ，前章に戻り確認すること）でなければ，100万円の所有権を取得しないことになる（即時取得の要件を定める民192条を参照）。しかし，それでは他人からお金を受け取る際に，誰の物か，いちいち注意しなければならないことになり，お金が流通しなくなりかねない。それでは困るから，上のように，金銭の所有権はその占有者にあると考えられている。

(2) 刑法上の規律

　では，いまの事案，刑法的にはどう考えるべきなのだろうか？　判例（たとえば，最判昭和29・11・5刑集8巻11号1675頁）・通説によれば，Bは委託物横領罪（252条）として処罰される（法定刑は5年以下の懲役）。横領罪が成立するには，客体が「他人の物」であることが必要だから，ここでは，民事法とは異なり，金銭は，「Aの物」（Aの所有物）と解釈されていることになる。

　一見，おかしいようにも思えるが，そうではない。先ほどの，法目的の相違，および民法で，金銭の所有と占有とが一致することの根拠に照らしてみよう。

　どういうことか。先ほど，民法は，私人間の利益調整を図るといった。民法上は，AとCの関係が無視できないのである。しかし，刑法上は，Bをどのように処罰するのが適正か，だけが問題である。

　そうなると，どのように考えるべきなのだろうか。たとえば，BがAから預かっていた高価な壺で，Cに債務を代物弁済（民482条参照）した場合，横領罪が成立することに異論はない。そして，預かっていたのが，壺か金銭かで，結論を変える合理的な理由はないだろう。むしろ，実際上，金銭を預かる方が，社会においては普遍的な現象であり，そちらの方が，保護する必要性が高いとすらいえる。そうだとすれば，金銭の場合も，横領罪が成立するというべきではないか，という推測が働く。

(3) 反対の解釈をした場合の帰結も考える必要がある

こうした場合，さらに考えなければならないのは，仮に，横領罪が成立しないとするとどうなるか，である。法律の解釈に当たっては，ある考え方の当否を検証するためには，同時に，それと違う考え方をしてみた場合にどうなるかも考えなければいけない。

そして，今回に関しては，仮に，金銭所有権について，民事と同じように考えるとすると，Bには，背任罪（247条）が成立するということになる（法定刑は5年以下の懲役又は50万円以下の罰金）。この罪は，客体が「他人の物」であることを要求しておらず，「他人のために」「その事務」（金銭の保管）を処理する者が，自分の利益を図る目的で，任務に背き（勝手に自分の債務を弁済して），財産上の損害を与える（Aに対して，金銭を返却できなくなる）ことによって成立する（かっこ内は，事案との対応関係）。

それならば，別に問題ないと思う人もいるだろう。いずれにしても，処罰されるならば，犯罪の名前は，たいした問題じゃないよなあ，と。

でも，それは違う。いまのBがAから1回限りで預かったのではなくて，金銭を預かることを仕事にしていたという事案を考えてみよう。その場合，もし横領だとすれば，業務上横領罪（253条）が成立する。その法定刑（懲役）の上限は，10年である。これに対し，背任については，そのような加重類型はない（特別背任罪〔会社960条〕という加重類型はあるが，適用範囲は，単なる業務性よりも狭いから，業務上の行為であれば常に適用可能というわけではない）。そうなると，物を預かるのを仕事にしている場合と，金銭を預かるのを仕事にしている場合とで，法定刑の上限に大きな差が出てしまう。

このような考慮に基づいて，判例・多数説は，「他人の物」について，民法上の所有権に関するルールとは異なる解釈をしているのである。

3　民法上の権利関係が不明確な場合

以上の議論は，被害者（A）に民法上の権利があることは確かであるが，それが「所有」と評価できるかどうかに関するものであった。

「他人の物」をめぐる解釈論には，もう1つ，異なる性質のものがある。そ

れは，被害者に，民法上の権利が存在していない場合，あるいはそれがはっきりしない場合である。

> **Case2** XがYに対して，家を売り，引き渡したが，Yに詐欺（民96条）があったとして取消しの意思表示をした。しかし，Yは詐欺などないと主張し，やってきたXを追い出そうとしたため，Xは，やけになって，その家の柱を，手斧で傷つけた（最決昭和61・7・18刑集40巻5号438頁の事案を，民事執行法に係るテクニカルな部分について，若干修正した）。

この事案で問題となるのは，Xに建造物損壊罪（刑260条）が成立するか，である。この条文でも，「他人の」建造物であることが要求されているから，Case2において所有権がXに属するのか，Yに属するのかが問題となる。

どのように考えるべきだろうか。素直に考えれば，これはXによる詐欺取消しが有効だったか，いい換えれば，Yが詐欺をしたかどうか，という点によって決まりそうである。現に，学説においては，そのような見解も，有力に主張されている（私も，実は，その立場である）。

しかし，そのような見解に対しては，批判もある。①犯罪には故意がなければ成立しないが，民法の解釈を誤解して，自分に所有権があると軽信していた者が，無罪となってしまう（たとえば，先の例で，Yの言葉が詐欺とはいえない程度のものであったとしても，Xが詐欺だと思いこんでいれば，Xに故意がないことになってしまう），②民事訴訟の結果によって，刑事裁判の結論が左右されることになると，和解等がなされた場合に，対応できない，③検察官が民事の権利義務関係について，積極的な立証をすることは，民事裁判の一方当事者に過度に有利になってしまう（以上につき，安廣文夫『昭和61年度最高裁判所判例解説刑事篇』202頁以下参照。なお，最高裁判例解説〔以下，「最判解」という〕とは，その最高裁判例に関与した，最高裁調査官〔任官後10年程度の中堅の裁判官が務める〕が書く解説であり，判例それ自体ではもちろんないが，判例の真意を理解するために，大いに参考になる）。

おそらくは，そのような考慮に基づいて，前掲昭和61年最決は，「刑法260条の『他人ノ』建造物というためには，他人の所有権が将来民事訴訟等において否定される可能性がないということまでは要しないものと解するのが相当で

あ」る，と判断している。

　これは，一般に，民法上の所有権の解釈と刑法上のそれとが，異なって判断される余地を認めたものと理解されている。この部分だけでは，どのような場合に，刑法上の所有権が，認められることとなるか，必ずしも明らかではないが，本決定には長島裁判官の補足意見が付されており，そこでは，「社会生活上，特定の人の所有に属すると信じて疑われない客観的な状況のもとで或る物に対する現実の所有関係が存在し，かつ，その民事法上の所有権を否定すべき明白な事由がないとき」という基準が示されている。

　もっとも，この場面で，ずれを認めて本当によいのだろうか？　先ほどの金銭の事例では，Aに保護されるべき利益が存在することは前提とされていた。しかし，今回の事案で，もし，Yが詐欺をしていたのであれば，悪いのは，XではなくむしろYではないだろうか。長島意見は「民事法上の所有権を否定すべき明白な事由がない」ことを要求しているから，否定される可能性がある，といった程度では，Xは処罰されることとなるが，それでいいのだろうか。その一方で，仮にずれを認めないのであれば，先の①〜③の問題を，どのように解決したらよいのだろうか？

　私自身としては，Case1 で見たような，私法秩序として，ある人の利益を保護すべきだ，という点には異論がなく，ただ，それが所有権という形でなのか，そうでないのか，といった，いわば技術的な側面が問題となる場面では，確かに，民法上の規律にこだわる必要はないと思うのだが，Case2 のように，そうした利益を，そもそもおよそ保護する必要があるのか，という場面では，民法をはじめとする私法秩序に従うべきだと思う。保護に値する利益かどうか，については，法秩序は統一的であるべきだが，そこに付すべきタイトルについては，各法分野におけるテクニカルな差異が反映されることもありえる，という考え方である（現時点で，読む必要はないが，島田聡一郎「いわゆる『刑法上の所有権』について」現代刑事法 62 号〔2004〕15 頁以下）。

　なお，このような考え方に対して向けられた批判である①から③には，いずれも反論が可能である。①については，故意は，客観的に見て，これが犯罪に値する事実だ，という内容が決まった後に，その点を認識すべきだ，という議論であり，故意を論拠に犯罪のあるべき姿を論じるのは，論理が逆転している。

②は，誤解に基づく。刑事裁判所は，その行為の時点での権利関係を判断すれば足り，その後の権利関係の変動は，無関係である。③については，権利関係にあいまいな部分が残るような事案は，そもそも起訴すべきでなく，また起訴後も，検察官は，単なる当事者ではなく，公益の代表者として，準司法官的性格を有する以上（松尾浩也『刑事訴訟法 上』〔弘文堂，1999〕221頁参照），一方当事者への肩入れとなるような立証をすべきでない，というべきであろう。

4 刑法242条における「占有」について

　ここまで議論してきたのは，刑法235条等における「他人の」（＝他人所有の）に関する議論であった。それが民法における所有権概念と，どの範囲で一致すべきであり，どの範囲でずれるべきかが問われていたのである。

　しかし，先に見たように，窃盗罪，詐欺罪等の，他人の占有を侵害したことが要求されている犯罪においては，242条が適用され，「他人の」といえない場合でも処罰されている。

　では，ここにいう「他人の占有する」とは，どのような場合と考えるべきだろうか？

　たとえば，このような事例を考えてみよう。

> **Case3**　Xは，自動車を盗まれた。ある日Xが，ある駐車場に止めてある車を見たところ，明らかに，自分のナンバーであった。Xは，レッカー車を呼んで，鍵をなくしてしまったと虚偽の事実を述べ，その車を自宅まで運んだ。その自動車は，AがXから盗み出して，上記駐車場に停めたものであった。

> **Case4**　高利貸しを営むYは，融資を求める者に対して，買戻約款付自動車売買契約に基づいて，金銭を融資する，いわゆる自動車金融を営んでいた。この自動車金融とは，借主が，自動車を貸主であるYに融資金額で売り渡すという形式をとり，借主が期限までに融資金を返済（＝買戻権を行使）しない限り，Yが自動車を任意に処分できるという契約内容であった。しかし

> ながら、借主に融資されるのは、自動車の時価（客観的価値）の２分の１～10分の１程度の金額にすぎず、その意味で、Ｙの行為は暴利行為といってもおかしくないものであった。また、債務者が返済を怠ったときは、自動車の時価と融資金額との差額を精算することもなく、直ちに自動車を転売して利益を得ようとしていた。以上を前提に、ＹはＢに対して買戻約款付自動車売買契約を締結して、金員を貸付け、Ｂが買戻権を喪失した直後、ひそかに作成したスペアキーを利用するなどして、Ｂに無断で自動車を引き揚げた（最決平成元・7・7 刑集43巻7号607頁）。

　前提として確認しておきたいのは、刑法学の通説は、ここにいう「占有」には、民法とは異なり間接占有代理人を介した占有は含まれず、直接占有＝事実的支配だけを意味するとしている、という点である。すなわち、民法には代理占有（民181条）の規定があるため、代理人を介して間接的に物を占有することを認めるが、この場合、刑法では事実上物を支配している代理人に占有があることになる。というのは、窃盗罪は、「窃取」すなわち他人の財物に対する事実上の支配を奪って、自己または第三者の事実上の支配下に置くことを要件としているから、被害者側に、直接占有、「事実上の支配」があることが必要とされるのである（被害者に間接占有しかない場合には、横領となる）。

　もし、242条にいう「占有」について、「他人の事実上の支配」下にあることで足り、それ以上の限定は必要ない、と考えるのであれば、Case3、Case4とも、ＸＹは、窃盗罪の構成要件には該当することとなる。

　現に、Case4の元となった、平成元年最決は、そのように考えて、窃盗罪の構成要件該当性は肯定した上で、「その行為は、社会通念上借主に受忍を求める限度を超えた違法なもの」として、窃盗罪の成立を肯定した。

　引用部分の解釈については、議論があるが、多くの学説は、これを、①犯罪の成否を類型的に基礎づける構成要件該当性の解釈においては、民事法上の規律は無関係だが、②違法性阻却事由の解釈においては、行為者による権利行使であることをも考慮しつつも、権利行使であることだけで直ちに違法性を阻却するのではなく、その手段の相当性なども考慮して、相手方に対して、受忍を求める限度か否かで、その成否を考えるものと理解している（香城敏麿・平成元

年度最判解刑事篇227頁。学説としては、たとえば、木村光江『財産犯論の研究』〔日本評論社、1988〕507頁以下)。

　このように考える限りは、Case4では、ひそかに作成したスペアキーなどを利用して、Bに無断で自動車を引き揚げるというその手段が不当であることを理由に、窃盗罪が肯定されることとなる。他方、Case3は、レッカー車を呼んで、それを騙して、引き揚げさせたという行為態様をどのように評価すべきかによって結論が変わることとなるが、窃盗罪が肯定される可能性も否定できない（なお、このような事案は、これまで判例で問題とされたことはない）。

　しかし、こうした解釈に対しては、学説から批判がなされている。Case4のような、被害者側（B）に、民事法上も、融資金額と自動車の時価との差額の精算を請求するなど、引渡しを拒むことを正当化する利益が認められる場合はともかく、Case3のような、被害者側（A）にそれが認められる余地が全くない場合にまで、「手段が不当である」という行為態様の悪質性だけを理由に処罰するのは、実質的に保護すべき利益がない場合にまで処罰することに帰着しかねないが、それは妥当でないというのである（林・各論162頁以下）。たとえば、平成元年最決の調査官解説では、窃盗犯人の家に立ち入って、盗品を取り戻した場合には、窃盗罪が成立するとされている（香城・前掲228頁）。確かに、その場合には、手段が住居侵入罪に当たる不当なものであるが、だからといって、そのことを理由に、財産犯である窃盗罪の不法を基礎づけることはできないのではないだろうか。

　こうした学説は、242条にいう占有を「民事法上適法な占有」「一応合理的な理由がある占有」、「民事法上、行為者による占有回復を拒みうる占有」などと限定解釈して（それぞれの学説の微妙な差異には、ここでは立ち入らない）、Case4のような、被害者側に民事法上も正当な利益が認められる場合には、財産犯の成立を肯定し、他方、Case3のような奪取の相手方Aが窃盗犯である場合には、手段がどのようなものであろうと（他の罪には当たったとしても）、財産犯の成立を否定している。

　繰り返しになるが、この問題は、上で見た「他人の」という概念を、どの範囲で民事法に従って解釈すべきか、という議論とは、形式的な位置づけは異なる。それは、あくまで242条にいう「占有」を、どのように限定解釈すべきか、

という問題である。

　しかし，そこには通底する議論がある。それは，「財産犯の成否に当たって，どの範囲で，民事法に従った判断をすべきか，どの程度独立した判断をすべきか」という点である。このため，前者で，民事法との独立を強調する学説は，後者でも占有を限定解釈せず（たとえば，前田・各論157頁以下，木村・前掲485頁以下），前者で，少なくとも民事法上の要保護性を要求する学説は，後者でも，民事法上，保護に値するか，という観点から，占有を限定解釈するのが通常である（たとえば，林・各論161頁，佐伯仁志『刑法の争点』〔有斐閣，2007〕166頁，島田聡一郎「財産犯の保護法益」法教289号〔2004〕96頁）。

　そして実は，判例においても，一般論としては，先のような民事と独立した枠組みが採用されているが，本書で紹介された判例を含め実際に処罰された事案を見ると，その結論は，民事法上の要保護性を重視する見解からも，処罰に値する事案である。

　え？ Case4 はそうだが，Case2 は，本当にそうなの？ と思われた人もいるかもしれない。でも，実は，昭和61年最決は，Case2 とは微妙に異なる事案であった。

　それは，具体的には次のようなものである。まず，XのYに対する家の売却は，Case2 を読んだ皆さんがイメージするような通常の家の売却ではなかった。すなわち，Yに対する債務を負っていたXは，Yとの交渉の末，その担保として家にYの根抵当権を設定することを了承したが，その後，Yが債権回収のために抵当権の実行＝家の競売を申し立て，Yが自らこれを落札したというものであった。そして，これに基づき，裁判所の執行官が，落札後，家の新たな所有権者になったYに家を引き渡すための命令（不動産引渡命令）を執行するためにやってきたわけだが，その際にXは家を損壊する行為に及んだというのである。しかし，刑事裁判において，Xは，①根抵当権設定の交渉の際にYが「根抵当権の設定は形式だけにすぎず，その実行はありえない」という趣旨を述べていた，②Yに騙されたと思ったXは，抵当権設定契約を取り消す意思表示（詐欺取消し）を損壊行為以前に行っていた，そして，③①と②により，家を損壊した際，家の所有権はXにあったから，Xは自分が所有する家を壊したにすぎず，「他人の」建造物の損壊を成立要件とする建造物

損壊罪は成立しない，と主張したのである．

しかしながら，Yによって競売が申し立てられてからYが自らこれを競落して代金を納付するまでの間に，Xがこれに対して何か異議・不服を申し立てたという事実はない．実は，このような場合，民事執行法184条は「担保不動産競売における代金の納付による買受人の不動産の取得は，担保権の不存在又は消滅により妨げられない」と定めている．そのため，もしもこの条文を文言通りに適用するのであれば，買受人となったYによる家の取得は，詐欺取消しにより抵当権設定が無効となっても妨げられないということになりそうである．その場合は家を取得したYに所有権がある以上，それはXにとって「他人の」建造物である．仮に（民事法の有力説が主張するように）抵当権者自身が競落人である場合には，この条文は適用できないとしても，本来，異議を申し立てるべき手続において異議を申し立てなかった以上，そのような主張はもはや持ち出すことはできないとして，Yの所有権に民事法上の要保護性があるということは可能であろう．

多くの場合，判例が確立している論点では，それと異なる学説は，自然と少数説になっていくのだが，この場面では，判例の一般論がある程度確立しているように見えるにもかかわらず，それと異なる学説が依然，有力に主張されている．それは，おそらく，判例において処罰が肯定された事案が，その一般論の広さにもかかわらず，反対説からも処罰しうる事案であったことに由来するように思われる．

第2節　過剰防衛──判例の読み方

1　はじめに

　刑法総論を勉強していると，多くの人は，ついつい，行為無価値と結果無価値や規範理論といった，抽象度の高い議論に重点を置いて勉強しがちになる。しかも，先生から，刑法では理論的一貫性が重要といわれていることもあって，個別論点を，できるだけそのような議論から演繹して解決しようという姿勢になりがちである。

　そのような作業が不要とはいわない。しかし，少なくとも現在では，そうした抽象度の高い議論から，いわば大上段に解決できる問題は，実は，それほど多くはない。

　むしろ，**判例の事案を，しっかり理解して，そこに，ときに，理論で補助線を引きながら，地道な分析を加える**という作業の方が重要である。いい換えれば，刑法総論も，特殊な世界ではなく，普通の法解釈学だと思った方がよい。

　そのことを実感してもらうために，以下では，過剰防衛をめぐる2つの最高裁判例に検討を加えたい。

2　「量的」過剰防衛とは何か

(1)　過剰防衛とは何か

　刑法36条1項は，正当防衛で無罪となる（違法性が阻却される）場合について規定している。この正当防衛の要件のうち，「急迫不正の侵害」，「防衛するため」の行為（これらの2つの要件の具体的内容についても，いろいろ議論があるが，ここではふれない）は存在していたが，「やむを得ずにした」とはいえず，「防衛の程度を越えた」（36条2項）場合が，過剰防衛と呼ばれる。

　この過剰防衛は，2つの種類に分かれるというのが，一般的な理解である。それは，質的過剰防衛と，量的過剰防衛である。前者は，次の事例のように急

迫不正の侵害が存在している時点で防衛したが，より軽微な手段でも，防衛できた場合のことをいう。

> **Case5** 殴られそうになったとき，素手で十分反撃できたのに，ナイフで刺した場合。

他方，量的過剰防衛とは，次のような例である。

> **Case6** 1回殴って，十分攻撃を排除できたのに，さらに続けて3回殴った場合。

つまり，急迫不正の侵害が止んだ後に，さらに攻撃を加えた場合である。まずは，このように思っておいてほしい。

いま，「まずは」と言ったのは，この2つの概念の定義や，ある事案が，そのどちらに分類されるべきかについては，細かく見れば，いろいろな考え方があるからである。この概念は，法律上定義されているわけではなく，学説が議論を整理するために用いているにすぎない。このため，厳密に見ると，その定義が微妙に異なるのは，当然といえば当然である（ちなみに，この問題に限らないが，複数の教科書を見て，定義が違うため，どちらが正しいのか，と悩む人がいる。事柄の性質上，どちらが正しいともいえない場合もあることに注意してほしい。そうした場合は，できれば，どうしてそういう差が生じているのか，具体的にどのような事案で差が出るのか，まで理解できるとなおよい）。

(2) 量的過剰防衛をめぐるこれまでの議論

量的過剰防衛に，36条2項を適用し，刑の減免を認めることができるかは，過剰防衛の減免根拠（刑を減軽または免除する実質的な理由）によって決まるというのが，一般的な理解である。

すなわち，現在の多数説は，過剰防衛は防衛の程度を越えているため違法ではあるが，いきなり攻撃を受けていれば，誰でも，心理的に動揺してしまい，とっさにやりすぎてしまうことも，理解しうる部分がある（行為者に違法な行為にでないことを期待する可能性が下がる）ため，刑が任意的に減軽・免除される，

と考えている（これを**責任減少説**と呼ぶ。たとえば，西田・総論189頁）。その見解からは，質的過剰でも，量的過剰でも，「動揺してやりすぎた」という点は同様だから，量的過剰防衛についても，36条2項の適用がある。

これに対して，正当防衛状況の存在を理由とした違法減少に求める見解（**違法減少説**）もある。そうした見解は，急迫不正の侵害がある限り，攻撃をしてきた相手方の法益を保護する必要性は，防衛に必要な限度で減少するとしている（比喩的にいえば，過剰防衛によって実現した不法内容が，15だとして，10であれば正当防衛だ，という場合，不法内容は15－10で5となるから，刑を軽くすべきだということ）。そのような考え方を前提とすると，急迫不正の侵害が終了した後の攻撃は，もはや違法減少が認められないから，量的過剰は過剰防衛にはならない，という理解が一般的である（山本輝之「量的過剰防衛についての覚書」研修761号〔2011〕17頁）。

なお，学説の中には，過剰防衛には，いま述べた側面がいずれも認められる，とした上で，違法性・責任双方が減少することを，減免根拠とする見解もある（山口・総論142頁）。そのように考えると，いずれに重点を置くかによって，結論が変わってくるが，量的過剰防衛に36条2項を適用し刑の減免を認める見解が，一般的である。

この問題に関する最高裁の判例としては，被告人が，Aに屋根鋏で攻撃されそうになったので，鉈でAの左頭部に一撃を加え，横転させたが，さらに，その頭部，腕等に鉈を振るって，Aを殺害した事案で，殺人罪の過剰防衛を肯定した最判昭和34年2月5日（刑集13巻1号1頁）がある。また，X，Y，Zらが，彼らの友人甲に対して，髪をつかむなどの暴行を加えていた乙に対し反撃したところ，乙による侵害はひとまず収まったが，XがYの制止を振り切って暴行を加え，その時点で乙に傷害を負わせた，という事案で，Zの罪責が問題とされた，最判平成6年12月6日（刑集48巻8号509頁）においては，Xらの行為が傷害罪の量的過剰防衛であることは，前提とされている。

ここまでは，以下の議論の前提として不可欠な知識である。もし，わからない点があれば，もう一度読み直してから，先を読み進めてほしい。

3　近時の判例

(1)　最高裁平成20年6月25日決定

さて，平成20年，21年に，この量的過剰防衛に当たるかどうかが問われた，2つの重要な最高裁判例が出された。まず，平成20年最決（刑集62巻6号1859頁）の事案は，次のようなものである。

被告人Xは，屋外の喫煙所でAから呼び止められ，そちらに赴いたところ，いきなり殴りかかられた。Xもやり返すなどしていたが，Aが円柱形の灰皿を投げつけてきたので，これを避けながらAの顔面を殴打したところ，Aは頭部から落ちるようにして転倒した（**第1暴行**）。Xは，動かなくなったAの状況を認識しながら，Aの腹部を蹴るなどの暴行を加えた（**第2暴行**）。Aの死因は第1暴行によって生じたものであり，第2暴行は傷害を負わせただけであった。

この事案で，1審判決は，第1，第2暴行あわせ傷害致死罪の過剰防衛となるとしたが，2審判決は，これを破棄し，第1暴行には正当防衛が成立し，第2暴行には，（過剰防衛ではない）通常の傷害罪が成立する，とした。

最高裁は，以下のように述べて，原判決を是認している。

「第1暴行により転倒したAが，被告人に対し更なる侵害行為に出る可能性はなかったのであり，被告人は，そのことを認識した上で，専ら攻撃の意思に基づいて第2暴行に及んでいるのであるから，第2暴行が正当防衛の要件を満たさないことは明らかである。そして，両暴行は，時間的，場所的には連続しているものの，Aによる侵害の継続性及び被告人の防衛の意思の有無という点で，明らかに性質を異にし，被告人が前記発言をした上で抵抗不能の状態にあるAに対して相当に激しい態様の第2暴行に及んでいることにもかんがみると，その間には断絶があるというべきであって，急迫不正の侵害に対して反撃を継続するうちに，その反撃が量的に過剰になったものとは認められない。そうすると，両暴行を全体的に考察して，1個の過剰防衛の成立を認めるのは相当でなく，正当防衛に当たる第1暴行については，罪に問うことはできないが，第2暴行については，正当防衛はもとより過剰防衛を論ずる余地もないの

であって，これによりAに負わせた傷害につき，被告人は傷害罪の責任を負うというべきである。」（下線部分は筆者）

(2) 最高裁平成21年2月24日決定

他方，平成21年最決（刑集63巻2号1頁）の事案は次のようなものである。

拘置所に勾留されていた被告人Yは，やはり未決勾留中であった同室内のBと口論となり，BがYに向かって折りたたみ机を押し倒してきた。Yは，その反撃として，同机をBに向けて押し返し，その際，Bに傷害を負わせた（**第1暴行**）。さらに，Yは同机に当たって押し倒され，反撃や抵抗が困難となったBの顔面を手拳で数回殴打した（**第2暴行**）。

原判決は，第1暴行と第2暴行を分断して評価すべきではないとして，傷害罪の過剰防衛を認めた（なお，第2暴行時点でも，Bが態勢を立て直して再度の攻撃に及ぶことも客観的に可能であったとして，急迫不正の侵害が継続していた，とされている）。被告人側は，傷害の結果は，正当防衛で違法性のない第1行為から生じたのだから，傷害罪を認めるべきではない，と主張した。

最高裁の判断は，以下の通りである。

「前記事実関係の下では，被告人が被害者に対して加えた暴行は，急迫不正の侵害に対する一連一体のものであり，同一の防衛の意思に基づく1個の行為と認めることができるから，全体的に考察して1個の過剰防衛としての傷害罪の成立を認めるのが相当であり，所論指摘の点は，有利な情状として考慮すれば足りるというべきである。以上と同旨の原判断は正当である。」（下線部分は筆者）

(3) 2つの判例を対比してみよう

この2つの判例の事案は，似ている点もあるが，異なる点もある。以下をすぐ読まず，まずは自分で，そうした点を抽出してみよう。

共通点としては，次の点が挙げられる。①被告人が，それ自体としてみれば，正当防衛に当たる第1暴行と，それ自体は正当防衛とはいえない第2暴行を行っている。②両暴行は，時間的・場所的に接着している。③死，あるいは傷害

という重い結果は，第1暴行から生じている，といった点が挙げられる。

しかし，平成20年最決では，第2暴行について204条の傷害罪（過剰防衛でもない）が認められ（つまり重い結果が，正当防衛に当たる第1暴行から生じているからこれにつき罪責を負わないが，36条2項の適用もない），平成21年最決では，第1，第2暴行が一体として把握された上で，傷害罪の過剰防衛（つまり重い結果が一体として把握された行為から生じているから，これについて罪責を負うが，36条2項の適用がある）という，正反対の判断がなされている。

では，この両者の相違を基礎づけるのは，どのような事情なのだろうか？なお，これらは，短い期間（1年以内）に続けて出された，しかも，いずれも最高裁判例であるから，整合的に，矛盾がないように，解釈されなければならない。

その際，目にとまるのが，決定中の下線を引いた点，つまり，(a)第2暴行時における急迫不正の侵害の有無および，(b)同一の防衛の意思に基づくのか，それとも攻撃の意思に基づくのか，という点である（以下，(a)を侵害の継続性，(b)を防衛の意思の継続性と呼ぼう）。

	(a)侵害の継続性	(b)防衛の意思の継続性
平成20年最決	×	×
平成21年最決	○	○

この2つの判例を見る限り，(a)(b)がともに認められれば，第1暴行，第2暴行は一体のものとして扱われ，他方(a)も(b)もいずれも認められない場合には，両者は別個の行為と扱われる，といえそうである。

このようにいうと，当然のことながら，「では，(a)，(b)いずれか一方が認められる場合は？」という疑問が持たれそうである。しかし，これは，これらの判例の文面からはわからない。

その場合に，どうなるかは，先の2つの場合に，**なぜ，そのような結論となるか**，を理解する必要がある。判例を理解するためには，その背景にあると思われる理論を探らなければならないのである。

学説にとって非常に重要な役割の1つは，これを明らかにする点である（ちなみに，最高裁判所判例集に載った判例には，第1節3で見たように最高裁調査官によ

る解説が付される。これは，最高裁の真意を知るために，非常に有用であり，ある意味特別な意義があるが，それでも，そこで述べられている意見は，判例自体ではなく，あくまで「学説」である）。

(4) (a), (b)は理論的にどのような意味を持っているのか

では，先に見た2つの事情は，理論的にどのように位置づけられるのか。まず，(a)が認められれば，侵害が継続している以上，第2行為も侵害への対抗行為としての性質を持つことになり，これを防衛行為と見ることが可能となるといえよう。

(b)については，これまでの判例理論と整合的に位置づける必要がある。従来から，判例は，たとえ急迫不正の侵害に対する反撃であっても，それが「防衛に名を借りて侵害者に対し積極的に攻撃を加える行為は，防衛の意思を欠く結果，正当防衛のための行為と認めることはできない」（が，防衛の意思と攻撃の意思とが併存している場合には防衛の意思を欠くものとまではいえない〔最判昭和50・11・28刑集29巻10号983頁〕）としてきた。つまり，平成20年最決のような「専ら攻撃の意思」に基づく場合には，仮に(a)が認められても，第2行為は，防衛行為とはいえないことになる（事例A）。

	(a) 侵害の継続性	(b) 防衛の意思の継続性
事例A	○	×

　　　　　　　　　　　↓
　　　　　　　「専ら攻撃の意思」
　　　　　　　→防衛行為ではない

これらが，いずれも認められた平成21年最決の事案では，一連の攻撃に対する対抗行為として，防衛行為性が認められ，ただ，その侵害の程度が，特に第2暴行の時点では，相手方の攻撃力が弱まっていた以上，必要な範囲を超えていたということになる。つまり，この事案は，上に見たような意味での，侵害終了後にも攻撃がなされたという，量的過剰防衛の問題ではなく，むしろ質的過剰防衛の問題ということができる（松田俊哉・平成20年度最判解刑事篇499頁，西田・総論193頁）。

では，逆に，(a)が認められないが，(b)が認められる場合，つまり，急迫不正

の侵害はもう終了しているのだが，行為者に「防衛の意思」が認められる場合（事例B）は，どうなるだろうか。

実は，この場合は，さらに2つに分けることができ，また厳密にいえば，この概念に包摂しがたいが，それと連続的な場合もある。具体的には，(b)の時点で，急迫不正の侵害が実際には終了しているにもかかわらず，①侵害が継続しており，それに対する（仮に侵害が存在するとすれば）相当な防衛行為をしていると思いこんでいた場合，②侵害が継続していると思いこんだ上で，それに対する（仮に侵害が存在するとしても）過剰な防衛行為をしているという認識がある場合，さらに，③侵害が終了したことは認識していたが，恐怖，狼狽などから，過剰な行為を行った場合がそれである（西田・総論192頁も参照）。③は，厳密には，正当防衛状況の認識がないので，「防衛の意思」とはいいがたいが，防衛行為時の意思と「一連の意思，動機」に基づいているという点では，②と共通性があるといえよう。

	(a) 侵害の継続性	(b) 防衛の意思の継続性
事例B	×	○ ①相当な防衛行為をする認識
		②過剰性の認識あり
		△ ③侵害の終了を認識しつつ恐怖・狼狽から過剰な行為

①は，一般的な見解によれば，第2行為について，故意が否定される（いわゆる誤想防衛）。ただし，このような事例は，実際には起こりがたい。

現実に問題となるのは，②，③である。こうした場合を，どのように扱うべきかについては，前述した従来からの議論を応用して考えればよい。つまり，少なくとも，過剰防衛の法的性格について，責任減少をも考慮するのであれば，②，③でも，それが認められることを理由に，36条2項を適用することは可能である。

なお，このような分析をすると，少し勉強の進んだ人からは「行為無価値論からはともかく，結果無価値論から，防衛の意思などを考慮してよいのですか」等という質問を受けることがある。

しかし，これは，まず，議論の順序がおかしい。行為無価値，結果無価値と

いうのは，刑法の条文から導かれたものではなく，（日本では）半世紀ほど前に体系化された一種のモデル論にすぎないのだから，それを絶対視する必要はない。そして，現状では，両者の対立は――もちろん，一部の論点では，なお残っているものの――相対化している。

また，いわゆる結果無価値論からは，防衛の意思不要説となる，といわれているのは，急迫不正の侵害は存在するが，その認識を欠く，いわゆる偶然防衛をめぐる議論においてであって，このような，いわば過剰行為の場面で，それが専ら攻撃の意思に基づく場合には，過剰防衛による刑の減免を認めるべきではない，という価値判断には，いわゆる結果無価値論者においても，ほぼ一致があるといってよい（細かい理論構成には立ち入らないが，たとえば，西田・総論184頁，山口・総論132頁）。

(5) 平成21年最高裁決定に対する批判的学説と，その問題意識

このように，判例の真意を理解するには，その文言をできるだけ丁寧に読み取ると同時に，それを，従来から積み重ねられてきた判例理論および学説に照らし合わせて見ることが必要である。そして，学説は，そうした読み込みの際に，補助線を提供する役割を担う。

しかし，学説の役割は，それだけではない。以上のようなプロセスを経て，判例理論を理解した「後に」（ここが重要である），それでもなお，判例理論に問題があるのではないか，と指摘するのも，また，学説の役割である。

少なくとも，刑法において，そうした学説は，その役割に照らして，大別して2つに分けることができる。1つは，**判例理論の大枠は認めた上で，その細部にある問題点を，いわば微調整することを目的とするものであり，もう1つは，判例が示した結論に対して，正面から批判を向け，そして，判例理論を，そうした反対説との文脈によって，相対化することを，その存在意義とするものである**。

前者の例は，極めて多い。一例として，1983年に，本格的に理論化された，共犯関係からの離脱に関する，いわゆる因果性遮断説を挙げることができる（現在では，西田典之『共犯理論の展開』〔成文堂，2010〕240頁以下で読むことができる）。ここでは詳論はできないが，判例が，必ずしも明確な基準を示しておらず，そのため下級審判例では，若干の混乱も見られた論点について，明確な指

針を示そうと試みたものである。

　多くの皆さんが，判例と対比された意味で「学説」という時，すぐ思い浮かぶのは，むしろ後者かもしれない。たとえば，外務省秘密電文漏えい事件最高裁決定（→第1部第3章第2節5）（最決昭和53・5・31刑集32巻3号457頁）と，それに対する批判的学説（数多いが，たとえば，田宮裕『刑法判例百選1総論（2版）』〔有斐閣，1984〕64頁，山口・総論108頁）などが，その典型である。この場合の学説は，そもそも，判例の枠組み自体が間違っている，と指摘して，たとえ最高裁の判断ではあっても，専門家から批判を受けるべき内容なのだ，と示して，将来に向けて，判例の変更や，そこまでいかなくとも，その射程を限定せよ，と主張する。他にも，たとえば，被害者の承諾と傷害罪の成否に関する最決昭和55年11月13日（刑集34巻6号396頁）と，それに対する多くの批判的学説（たとえば，山口・総論164頁，井田・総論350頁）なども，それである。

　話を元に戻そう。実は，平成21年最決に対して，後者の意味での批判が，有力になされている。すなわち，㋐第1暴行と第2暴行とが連続している場合と，㋑それが断絶している場合との当罰性を比較すれば，㋐前者の方が，緊急時の狼狽した状況における行動という点で，「まだ，まし」である。それにもかかわらず，㋐では，傷害を惹起した一連の暴行が全体として過剰であると評価されるため傷害罪の過剰防衛（法定刑上限は懲役15年。もっとも，任意的減軽・免除の余地はある），一方，㋑では，第1暴行とそれによって生じた傷害が違法阻却され，これと別個に評価された傷害結果を伴わない第2暴行が単なる暴行罪（法定刑上限は懲役2年）となり，不均衡ではないか，というのである。同決定の事案を，若干修正して，第1暴行によって，被害者が死亡した場合についても，同様の，刑の不均衡が指摘されている。つまり，傷害致死罪の過剰防衛とするのでは，死の結果が，本来正当防衛であるはずの第1行為から生じていることが適切に評価されず，妥当でない，というのである（山口厚「判批」刑事法ジャーナル18号〔2009〕76頁，林幹人「量的過剰について」『判例刑法』〔東京大学出版会，2011〕67頁以下）。

　しかし，他方，この見解に対しては，次のような反論もある。これまで，第1行為，第2行為と呼んできた行為が，もし，構成要件の段階で，1個の構成要件該当事実を満たすのだとすれば，それを分断して，この部分は適法，この

部分は違法,といえないはずであり,これらを一体として見たときに,違法性を否定すべき事情があるか,という形で議論されるべきである。そうなると,まず検討されるべきは,**第1行為,第2行為が,一連一体の行為として,どのような罪(傷害罪,傷害致死罪)の構成要件に該当するか**,であり,その後,当該構成要件該当事実について,正当防衛・過剰防衛が成立するかを問題にすべきということになる。そして,第1行為,第2行為が,1個の意思決定に担われて,連続してなされた平成21年最決のような事案では,構成要件該当性は1つといわざるをえないのではないだろうか(松田・前掲513頁。なお,同517頁は,第1行為から死の結果が生じた場合は,本決定の射程に入らない,としながらも,その結論が,行為者に酷ではない,という点をも論証しようとする)。

　私が,これらいずれの考え方を支持しているかは,あえて論じない。

　本節によって,わかっていただきたかったことは,学説が,なぜ,どのような問題意識に基づいて,一定の見解を主張しているかについて,いくつかの異なる次元の問題があること,そして,それらは,判例理論と,それぞれに次元の異なる緊張関係を保っている,ということである。

　いま述べたことが理解できたのであれば,判例と学説というように,単純に対比せず,以上のような複数の対立次元を理解した上で,議論の状況を理解するように努めてほしい。そうなると刑法(に限らないと思う)解釈学を,さらにおもしろく感じることができると思う。

第3節　不真正不作為犯と刑法の解釈

1　はじめに

(1) 刑法解釈の厳格性と柔軟性？

第1部第3章第2節2で，刑法の解釈においては，罪刑法定主義の観点から類推が禁止され，他の分野に比べて，文言に忠実な解釈がなされる傾向が強いといった。しかし，そうはいっても，刑法，とりわけ総則の条文は，数も非常に少なく，解釈によらざるをえない場面が，かなり存在することも，また確かである。

その典型例として，ここでは，不真正不作為犯を取り上げよう。不真正不作為犯という言葉は，聞きなれないだろうから，まず，それがどのような場合か，簡単に説明しよう。

(2) 不真正不作為犯とは何か

犯罪行為は，たとえば，人を撃ち殺すといったように積極的な行為によって結果を引き起こす作為犯と，たとえば，退去を命じられたのに退去しないといった不作為犯（130条後段）とに分けられる。この不退去罪については，条文上，不作為が処罰されていることが明らかであり，このような場合を真正不作為犯と呼ぶ（このほか，真正不作為犯としては，後で述べる保護責任者不保護罪〔218条後段〕も重要である）。

これに対し，不真正不作為犯（第1部第3章第2節3も参照）とは，通常は作為によって実現される犯罪を，不作為によって実現する場合のことをいう。たとえば，放火罪（108条以下）であれば，「放火」すなわち「火を放つ」行為は，通常は，作為によって行われるが，「火を消し止めず，燃えるがままにする」ことが，なお「火を放つ」というべき場合もある。あるいは，殺人罪（199条）であっても，「見殺しにする」といった表現からもわかるように，被害者が死ぬのを放置する行為が，なお「人を殺した」と評価できる場合もある。

しかし，問題は，具体的にどのような場合にそのようにいえるかである。

2 自由な解釈？

他の法律分野の研究者からすると，刑法総論のこうした議論は，しばしば奇異に映るようである。第1部第3章第2節で述べたように，刑法理論は，解釈の手がかりが，ごくわずかな条文しかない中で，ある意味，一定の基本原理を——一見，空中から——作り出し，そこから一貫した論理を展開しようとする。この技法は，確かに，法解釈の通常の技法とは，かなり異なったものに見えるかもしれない（とはいえ，こうした技法は，憲法をはじめ，他の分野でも見られないではない）。

この節では，読者の皆さんに，そうした解釈が，どのような観点に基づいて，どのような技法を用いて展開されているのかを，いま見た，不真正不作為犯の成立範囲をめぐる議論を素材として，お伝えすることを試みたい。

3 不真正不作為犯論をめぐる解釈技法

(1) 大審院判例理論と「条理」

かつての学説は，作為犯は原則として違法であるが，不真正不作為犯は，特別な義務があって初めて違法になる，と論じていた。たとえば，こうした見解を代表する論者は，不作為は，①法律上の義務，②契約上の義務，さらに，③法律全体の精神から生じる義務の，いずれかに違反して初めて違法となるとした上で，③について具体的には，法律全体の精神である公序良俗に反することをいうとしていたのであった（牧野英一『刑法総論 上巻（全訂15版）』〔有斐閣，1958〕297頁。そして，作為犯は原則として公序良俗に違反するが，例外的に違法性阻却事由の段階で，公序良俗違反が否定されれば無罪となるとする）。

このような学説は，戦前の判例にも影響を与えたといわれている。まず，被告人が養父と争闘し，殺意をもって包丁で同人の頸部に切り付けて，同人を死亡させた後，争闘の際に，養父が投げつけた燃木尻（薪の燃え残りのこと）が藁に飛散して，燃え上がったことに気づいたが，住宅とともに屍体および証拠物

件となるべき物を焼損して、罪跡を隠滅しようとし、容易に消し止めることができたにもかかわらず放置して、家を焼損した事案で、「自己の故意行為に帰すべからざる原因に由り既に叙上物件に発火したる場合に於て之を消止むべき法律上の義務を有し且容易に之を消止め得る地位に在る者其既発の火力を利用する意思を以て鎮火に必要なる手段を執らざるときは」「実に公の秩序を無視するものにして秩序の維持を以て任務とする法律の精神に牴触するや明なる」、として、「此不作為も亦法律に所謂火を放つの行為に該当する」とした大審院判例がある（大判大正7・12・18刑録24輯1558頁〔①〕）。この判旨は、あくまで、自己の故意行為以外の原因によって発火した場合に「法律上の義務」があるとしているが、「公の秩序」にも言及している点が、牧野説の影響を感じさせる。

　また、大判昭和13年3月11日（刑集17巻237頁）（②）も、被告人が、神符が多数存在する神棚に置いていた燭台の蠟受が不完全で、蠟燭が神符に傾斜していたのを認識しながら、危険防止措置をなさず、その状態を利用して、火災が起これば、保険金を獲得できるとの思いの下で外出した行為について、不作為による放火罪が認められているが、そこでも「自己の故意に帰すべからざる原因に依り火が自己の家屋に燃焼することあるべき危険ある場合其の危険の発生を防止すること可能なるに拘らず其の危険を利用する意思を以て消火に必要なる措置」を採らなかった以上、不作為による放火が成立しうる、と述べた上で、「具体的場合に於て公の秩序善良の風俗に照らし社会通念上当然一定の措置に出でざるべからずと認めらるる場合敢て其の措置に出でざる」ことも、作為義務違反となるとされた。

　牧野説は、違法の本質は、（民事・刑事の別を問わず）法秩序全体を通じて「公序良俗」にあるとする議論を展開し、①②に対して賛意を表した。このような、一定の上位概念を設定して、そこから議論を演繹する技法は、確かに可能である。そして、実際、この当時の不作為犯をめぐる議論においては、自己の考える違法性の実質が満たされているか否かで、不作為犯の成否を考えるという手法を用いる学説が多かったように思われる（たとえば、小野清一郎『犯罪構成要件の理論』〔有斐閣、1953〕238頁。小野は、不真正不作為犯の処罰は、構成要件の問題だとしていたが、それでもその処罰の可否は、「道義的観念」によるとしていた

のである)。

(2) 問　題　点

しかし、そこでの問題は、そこで設定された上位概念が、非常に不明確なものであった点である。違法性の実質といっても、それは様々な犯罪に共通した要件であるから、どうしても、抽象的なものにならざるをえない。そうなると、そこから不真正不作為犯の処罰範囲をどのように限界づけるべきかについて、具体的な判断基準は導きがたく、恣意的な解釈となってしまいかねない。

それにもかかわらず、「条理」を作為義務の発生根拠とし、以上のような解釈をする学説は、長らく通説の地位を占めてきた。

(3) 各論を手がかりとした議論

その後、ドイツにおいて有力となった保障人説という学説が日本に紹介された。保障人説とは、各論における真正不作為犯において構成要件に該当しうる主体が限定されていること（このような犯罪を講学上「身分犯」と呼ぶ）を手がかりに、不真正不作為犯においても、同様に主体が限定されねばならないという解釈をするものである（したがって、これによれば不真正不作為犯も、一種の身分犯であるということになる）。たとえば、保護責任者不保護罪は、真正不作為犯であるが、主体は、保護責任者に限定されている。不作為による殺人の場合も、これと同様に、結果不発生を保障すべき立場にある者の不作為のみが構成要件に該当すべきだ、というのである。

日本においても、保障人説自体は、比較的早い段階で紹介されていた（先駆的なのは、中谷瑾子「不真正不作為犯の問題性に関する一考察(1) (2・完)」法学研究30巻4号14頁, 12号40頁（1957）であるが、中谷は、この議論に批判的であった。肯定的であった論者として、たとえば、木村亀二『刑法総論』〔有斐閣, 1978〕169頁）。

しかし、その後も、その実質的な内容は、法令、契約、条理を挙げるにとどまるか、せいぜい条理上の義務を類型化するといった議論が多く、このような解釈技法を実際に用いて、保障人的地位の発生根拠が論じられるようになるまでには、その後、ある程度の時間を待たねばならなかった。

具体的には、こうした各論との対比という解釈論手法を用いて、保障人的地

位論を初めて本格的に論じたのは，堀内捷三である。堀内論文は，不真正不作為犯は，条文上明示こそされていないものの，秘密漏示罪（134条1項。「医師，薬剤師」等が犯罪の主体とされ，これらの者が業務上取り扱った秘密の漏示行為が処罰の対象とされる）のように特別な身分を要する犯罪類型であり，そしてその限定は**身分者による法益侵害が，法益に対して密接な関係にあるがゆえ，法益に対して特に重要な影響を与える**点に求められるとする。その上で，身分犯における法益に対する密着性は，法益侵害との関係として把握されるのに対し，不作為者の法益に対する密着性は法益維持の方向において考慮されるべきだとする（堀内捷三『不作為犯論』〔青林書院新社，1978〕253頁）。

　堀内説は，そうした法益維持の観点から，結果が不作為者に依存していることが要求されるとし，その上で，そうした依存性という観点から，①法益の維持存続を図る行為を開始したこと，②それが反復継続してなされていること，③法益に対する排他性が確保されていることを，作為義務の要件とした（堀内・前掲書254-261頁）。

　それぞれの要件に関する細かい議論は，省略するが，法解釈論という観点から見たとき，この学説の意義は，まず，各論の規定を手がかりとして，そこから一般化しうる議論を展開した点にある。また，具体的な結論としても，従来，作為義務発生根拠として重視されてきた先行行為（①，②もそうであるし，戦後になっても，最判昭和33・9・9刑集12巻13号2882頁等がある）を，それ自体としては，作為義務を基礎づけるものではないとして，たとえば，不作為による殺人罪が認められるのを「被害者に救助の手を差しのべることにより，因果の流れに介入した場合」（堀内・前掲書257頁）に限定し，いわゆる単純なひき逃げは，不作為による殺人罪に当たらない，としたのである（その際，堀内説は，道路交通法の救護義務違反罪の存在は，「立法者が単なるひき逃げ行為については，過失致死傷罪の外に救護義務違反として処罰することで足るという意思表明に他ならない」ともしている〔堀内・前掲書257頁〕）。ちなみに，わが国の下級審裁判例において，単純なひき逃げを不作為による殺人罪としたものは存在しない。交通事故後の不救助が不作為による殺人罪とされたのは，事故後に重傷を負った被害者を病院に搬送するために自車の助手席に乗せた等の事実を伴う事案（東京地判昭和40・9・30下刑集7巻9号1828頁等）に限られるのである。

(4) いわゆる「作為との同価値性」をめぐる議論

(3)でみた堀内説もそうだが，近時の学説は，保障人的地位が認められるべき場合を具体的に示そうと試みている。そのような議論を網羅的に紹介するのは，この本の目的ではないが，そうした近時の学説が用いる解釈手法については，説明しておきたい。それは，抽象的にいえば，次の2つの思考方法のいずれか，あるいは双方を組み合わせたものである。

(5) 2つの思考方法とそこから導かれる議論

第1の思考方法は，次のようなものである((a))。不真正不作為犯は，作為犯の条文を根拠に処罰される以上，作為犯と同価値と評価できなければならない，しかし多くの場合，不作為（不作為犯ではなく，不作為という態度）には作為に備わっている性質が欠けている。これを埋め合わせる要素がある場合，あるいは不作為が例外的に作為と同じ要素を備えている場合にのみ，不真正不作為犯として処罰されるべきである。

第2は，次のようなものである((b))。作為が処罰される場合，ある一定の行為に出ることが禁止されるだけであり，他に何をすることも自由である（たとえば，積極的に人を殺す行為以外であれば，何をしてもよい）。しかし，不作為の処罰は，一定の行為に出ることを強制されるので（たとえば，そのとき倒れている者を救助しなければならない），他のあらゆることができなくなり，行動の自由が害される程度が大きい。それゆえ，不真正不作為犯の処罰には，特別な根拠が必要である。

もっとも，ここで(a)，(b)の具体的な中身をどのように解するかは，百家争鳴である。たとえば，(a)については，まず作為は因果の流れを設定するが，不作為は因果の流れを放置しているにすぎないから，その存在構造上のギャップを埋めるために，不作為においても因果の流れを設定する，故意または過失に基づく先行行為を要求するといった見解がある（日高義博「不真正不作為犯の理論」慶應通信〔1979〕154頁）。しかし，他方で，作為は因果の設定であり，不作為は因果の放置である，という認識は同じくしながらも，まず，不作為が作為と同価値というためには，「因果の流れを自己の掌中に収めること……すなわち，意思にもとづく排他的支配の獲得」が必要であり，さらに，「意思に基づかな

いで排他的支配を獲得する場合」には，意思を代替・補充するものとして社会継続的な保護関係を要求するといった見解も主張されている（西田・総論132頁。この見解からも，いわゆる単純なひき逃げは，不真正不作為犯としての殺人罪に当たる余地はない）。

また，(a)の作為と不作為の同価値性については，排他的支配説と同様に考えながらも，(b)について，行動の自由を保障する観点から，危険創出行為（先行行為とほぼ同じ意味であるが，この学説は，先の日高説と異なり，危険創出行為に故意・過失は不要とする）を要求する見解（佐伯仁志「保障人的地位の発生根拠について」内藤謙ほか編『香川達夫博士古稀祝賀　刑事法学の課題と展望』〔成文堂，1996〕111頁以下）などがある。

(6)　解釈論としての優劣？

このように，**刑法の基本原理から，一定の解釈指針を導き出して，その上でそこから下位基準に落とし込む**という解釈手法は，刑法総論で，しばしば見受けられる。ただ，ここまで見てきただけでもわかるように，ある解釈指針から，一義的に具体的な下位基準が導かれるわけではないということには注意が必要である。

しかし，そのようにいわれると，読者の皆さんは，いったいどのように考えるべきなのか，わからなくなってしまうかもしれない。もっとも，正直にいえば，学生の間は，こういった既になされている議論をいくつかの筋道として，たどることができれば十分である。

でも，もう1歩進めてみよう。こうした場合の学説の優劣を検証することは，はたして，また，どのような方法で可能なのだろうか？

1つの方法は，そうした解釈基準が導く，結論が「妥当」か否かである。もっとも，何が妥当かは，解釈者の価値判断に影響されるから，この点をそう簡単に論じることはできないが，たとえば，現行法の他の犯罪類型との整合性や，これまで多くの学説が承認してきた結論との整合性などは，それを判断する手がかりとなりうる。前述した，ひき逃げに関する堀内説（西田説）が，道交法違反との関係を理由に，単純なひき逃げが不作為による殺人罪に当たらないことをも自説の傍証としていたことは，そのような観点から理解できる。

このような観点から，判例理論との整合性が問題とされることもある。しかしながら，不真正不作為犯については，判例理論が，なお明らかではない。比較的最近の判例には，殺人罪に関する最決平成17年7月4日（刑集59巻6号403頁）があるが，これは，一般論を述べていないし，上に見たいずれの学説からも，結論は支持しうるものであるため，手がかりとはならない。

　もう1つの方法は，解釈指針と具体的下位基準との論理的な結びつきである。前者から，後者が無理なく導かれているといえるか否かといってもよい。とはいえ，これ自体，評価が非常に難しいところではある。前記(a)から，日高説，西田説，いずれが導かれるのが，より自然かは，判断の分かれるところであろう。

4　おわりに

　もしかしたら，最後に書いた部分を読んで，突き放された気分になったかもしれない。あるいは，法解釈って，結局，決め手はない水掛け論なんだろうか？　と思われたかもしれない。しかし，以下のことは，お伝えしておきたい。まず第1に，いずれにおいても，より多くの具体的事例を検証しながら，いわば帰納的に，学説の当否を検証する余地がある点である。

　また第2に，3でみたような議論についても，さらに新しい観点を指摘して議論を深めることが可能である。この第2の指摘の例として，たとえば，作為犯の特色が「排他的支配」であるという論拠については，それがもっぱら作為の「正犯」にのみ当てはまる特色であり，作為による「共犯」には妥当しないのではないか，ゆえに，不作為による幇助を基礎づける作為義務を考えるに当たっては，「支配」を問題とすることは不可能ではないか，という議論がある。

　典型的な法解釈論の技法が，事柄の性質上，妥当しにくいところで，刑法学者が，どのような議論を展開しているのか，ある程度，理解していただけただろうか？

　最後に，他の記述からもわかっていただきたいのは，このような，通常の法解釈論とはやや異なる議論の手法が用いられる場面は，刑法解釈論においても，むしろ例外だということである。不真正不作為犯については，およそ条文がな

く，しかも判例理論も明らかでないため，このような議論がなされているのであり，これが普通だとは思わないでほしい．

（島田）

第 9 章

憲　　法

第 1 節　衆議院の解散

1　何が問題なのか

　日本の政治で最大のイベントは，衆議院の解散である。なぜそうなのか，まずは憲法の規定とその政治的意味を考えるところから，話を始めよう。

　まず，「衆議院議員の任期は，4年とする。但し，衆議院解散の場合には，その期間満了前に終了する」(憲45条)。「衆議院が解散されたときは，解散の日から40日以内に，衆議院議員の総選挙を行ひ，その選挙の日から30日以内に，国会を召集しなければならない」(54条1項)。そして「内閣総理大臣が欠けたとき，又は衆議院議員総選挙の後に初めて国会の召集があつたときは，内閣は，総辞職をしなければならない」(70条)。「内閣総理大臣は，国会議員の中から国会の議決で，これを指名する。この指名は，他のすべての案件に先だつて，これを行ふ」(67条1項)。

　つまり，衆議院の解散によって，衆議院議員全員の資格が失われることになり，それを受けて国民（有権者）が総選挙で，新しい衆議院議員を選ぶ。そしてその新しい議員たちは，最初の仕事として，内閣総理大臣を選ぶのである。もちろん衆議院と並んで，参議院というもう1つの議院も存在してはいるが，ことこの内閣総理大臣の指名については，衆議院の議決が優先することが次のように定められている。「衆議院と参議院とが異なつた指名の議決をした場合に，法律の定めるところにより，両議院の協議会を開いても意見が一致しないとき，又は衆議院が指名の議決をした後，国会休会中の期間を除いて10日以

内に、参議院が、指名の議決をしないときは、衆議院の議決を国会の議決とする」(67条2項)。

要するに、衆議院の解散は、総選挙により衆議院の構成を決定し、さらに総選挙で示された民意を反映する形で内閣総理大臣が選ばれ、そしてその内閣総理大臣が内閣を組織するという形で、以後の政権を決めるための引き金（トリガー）なのである。だからこそ、衆議院の解散は最大の政治イベントであり、「衆議院が解散されるのではないか」「いつ解散するのか」が政治報道を賑わすことにもなるのである。

このように、衆議院の解散は、統治機構のしくみの中でも、最も重要なものの1つである。しかし驚くべきことに、衆議院の解散が誰によって、いついかなる場合に決定されるのかについて、日本国憲法は明快な解答を与えていない。この問題は、「衆議院の解散の実質的決定権の所在」と呼ばれており、法学部の憲法（統治機構）の講義で必ず触れられるといってよいほどの、解釈上の論点となっている。この節では、この論点を通じて、憲法の解釈とはどういうものかを、考えてみたい。

2　憲法の規定はどうなっているのか

解散が誰によってなされるか、ということについて、憲法の規定が存在しないわけではない。憲法7条は、次のように記している。

> 第7条　天皇は、内閣の助言と承認により、国民のために、左の国事に関する行為を行ふ。
> 〔中略〕
> 三　衆議院を解散すること。
> 〔後略〕

現実には、紫の袱紗に包まれた詔書が衆議院議長の下に届けられ、それを本会議で議長が読み上げる形で、解散が行われる（いわばクビになったはずの議員たちが、万歳三唱を行うことも、よく知られている）。国事行為として、この解散の詔書を発しているのが天皇であり、しかもそれは「**内閣の助言と承認**」によっ

てなされるというわけである。

そうすると，天皇が「衆議院を解散したい」と考え（発意），それを内閣が「わかりました，そうしましょう」と同意するのであろうか。あるいは，内閣が「解散してはいかがでしょうか」と提案し，天皇がそれに同意したり拒否したりするのであろうか。もともと君主制の時代には，議会の解散は君主の政治的権限であり，特に君主を補佐する大臣と議会が対立した場合に，議会に対する懲らしめとして解散権が行使されたという経緯からすると，このような理解がありえないわけではない。しかし，現代の民主主義で，こうした形で世襲君主が国民の代表者に対して解散権を行使することは，考えにくいことである。実際，日本国憲法は，天皇に一切の政治的権限を認めていない。

> 第3条　天皇の国事に関するすべての行為には，内閣の助言と承認を必要とし，内閣が，その責任を負ふ。
> 第4条　天皇は，この憲法の定める国事に関する行為のみを行ひ，国政に関する権能を有しない。…〔以下略〕…

つまり，一般に天皇は政治的な決定を下さず，その責任は助言と承認を行った内閣が負うことになる。だから，衆議院の解散についても，実際に解散をするか，いつ解散をするかといった政治的な実質的決定は，天皇が下すわけではない。それでは，この実質的決定を下しているのは誰だろうか。それはもちろん内閣である。内閣総理大臣が他の国務大臣と諮って衆議院を解散するという決断を行い，内閣として天皇に国事行為を行わせているのである。「○○政権は解散して国民に信を問え」と政治の場面で主張されたり，新聞の1面に「○○内閣，衆議院を解散へ」と書かれたりするのは，こうした事情を指している。

ここまでは，皆さんもよく知っている，常識的な話だろう。問題は，次の2点にある。第1は，69条の規定である。

> 第69条　内閣は，衆議院で不信任の決議案を可決し，又は信任の決議案を否決したときは，10日以内に衆議院が解散されない限り，総辞職をしなければならない。

この条文は，「衆議院が解散されない限り」と受動態で書かれてはいるが，衆議院から不信任された内閣が総辞職するか否かの選択を迫られているという

文脈からして，この局面では内閣が衆議院の解散を実質的に決定できることを意味している。しかし，そのことは，不信任決議の可決（または信任決議の否決）以外の場合に，内閣に解散の実質的決定権があるということまで意味するわけではない。そうすると，内閣が解散を実質的に決定できるのは，69条が定めている場合に限られるのではないだろうか？

これに対して，内閣が（現実にそうであるように）69条所定の場合以外にも解散を実質的に決定できると考えると，深刻に頭を悩ませる疑問がわいてくる。いままで見てきた日本国憲法の条文は，一般に解散の実質的決定権が内閣にあることをはっきりと示すものではない。そうすると，内閣に解散の実質的決定権があるとする憲法上の根拠は，どこにあるのだろうか？

このように，「衆議院の解散の実質的決定権の所在」の問題は，内閣に解散の実質的決定権があるとする根拠は何か，解散がなされるのは69条所定の場合に限られるかという点が絡み合っている。しかもこの問題は，研究者の頭の中で生み出されたパズルではない。日本国憲法下ではじめての解散（1948年）は，第2次吉田茂内閣によってなされたが，このとき日本はまだGHQの施政下にあった。当時のGHQの幹部は，衆議院の解散は69条所定の場合にだけ可能であり，それ以外の場合には解散はなしえないという憲法解釈を採用しており，内閣に自由な解散の決定権があるとする日本政府側と，意見の対立が生じた（これは，当時のGHQ民政局が，吉田首相を嫌っていたためとされている）。そこで政府与党・野党・GHQが話し合い，野党が内閣不信任案を提出しそれを衆議院で可決させた上で，69条により解散を行う，という政治的妥協がなされることになった。これが「馴れ合い解散」と呼ばれる事件である（「八百長解散」と呼ぶ場合もある。どちらにせよひどいいわれようである）。このように，解散の実質的決定権をどのように理解するかは，大きな憲法政治上の問題ともなり，学説でも様々な解釈が説かれることになったのである。

3　学説の状況——制度説と7条説の対立

この問題については，かつては，65条に内閣の解散権の実質的決定権の根拠を求める説があった。その論理は，次の通りである。65条は，「行政権は，

内閣に属する」と定める。ここでいう「行政権」とは，全ての国家作用のうちから，立法権と司法権を除いた残りの作用全てを指す，というのが通説である（これを「行政控除説」という）。そして，衆議院の解散は，立法権にも司法権にも属さないことは明らかである。したがって，衆議院解散の決定権は行政権に含まれている，というのである。

　この見解は，一見するとなるほどと思わせる論理展開を踏んでいる。しかし，ちょっと待ってほしい。行政権の中に衆議院の解散が含まれていると，そんなに簡単に認めてよいのだろうか。立法権・行政権・司法権の区別は，国民の権利・自由を守るために，国家権力を分離し抑制・均衡させるという**権力分立**の要請によって，設けられているものである。細かい議論はもちろんあるのだが，単純化していうと，立法権とは国民の権利・自由をルールによって規律する作用，司法権とは国民の権利・自由に関する裁判を行う作用と考えられている。だから，行政権も，国民の権利・自由との関係で，法律を執行する等の作用を指しているはずである。要するに，ここで立法権や司法権を控除する（差し引く）前の「すべての国家作用」とは，もともと国家と国民の間で，国家が国民の権利・自由に対して行使する作用のことだったはずなのである。これに対して，衆議院の解散は，内閣が衆議院議員の地位を失わせるという，国家内部の，国家機関同士の関係の問題である。だから，いくら行政控除説に立っても，65条から内閣の解散権が出てくるはずはない。65条によって内閣の解散権が認められるという説は，いわば無から有を作り出す結果になっているのである。このように，憲法に限らず，およそ法の解釈では，議論の前提・出発点がそもそも不当であるために，その後の論理作業が一見すると完全なものであっても，解釈論として失敗するという場合もあることに注意しなければならない。

　そこで現在では，衆議院の実質的解散権の所在に関する学説は，次の3つに分類されている（芦部49頁以下）。

　A説は，69条所定の場合すなわち衆議院の内閣不信任決議（または信任決議の否決）の場合にのみ，内閣は衆議院の解散を決定することができる，とする。先のGHQが採った立場に相当する。

　B説は，権力分立制および議院内閣制を採用する憲法の全体的な構造に内閣

の実質的決定権の根拠を求め，憲法69条所定の場合以外にも内閣の自由な解散を認める立場である。

C説は，7条3号の衆議院の解散という国事行為に対する内閣の助言と承認を根拠に，69条所定の場合以外にも内閣の自由な解散権を認める説である。後述するように，現在の実務の立場もこれだとされている。

こうした学説が分かれてくる理由は，2で述べた2つのポイントから，理解することができる。まず，A説とB・C説は，69条所定の場合以外に衆議院の解散を認めるかどうかが違う。A説は69条によって衆議院が解散される場合が明示的に定められているのだから，それ以外の場合には逆に解散は許されないと**反対解釈**するのに対して，B・C説は憲法は別のところで（明示的にであれ黙示的にであれ）内閣に自由な解散の決定権を与えており，そのことを前提に69条は書かれたものだと解する。つまり特定の場合に解散権を与える趣旨の規定ではなくて，衆議院から不信任を受けたならば解散しない限り内閣は総辞職しなさいという規定だ，と考えていることになる。

このうちA説（「69条説」と呼ばれる）は，現在ではほとんど支持者が見られない。この立場は，憲法の条文にある意味では忠実なものといえるが，多くの論者は日本の憲法政治のあり方から見て，内閣に自由な解散権が認められるべきであり，そのことを憲法は許容していると解釈してきた。こうした実質的考慮（現実への配慮）からも，A説は少数説にとどまり，しかもその有力な論者も，後にA説を棄てたのであった（小嶋和司『憲法概説』〔良書普及会，1987〕304-307頁）。

それでは，B説とC説の結論が同じだとすれば，その違いはどこにあるのだろうか。それは，内閣の解散権の根拠に関わる。C説は，衆議院の解散に着目した7条3号に着目し，その柱書に書いてある「内閣の助言と承認により」という文言は，内閣の実質的決定権を認めたものだと解釈する。この説は，「解散」という文言に引きつけた説であり，「**7条説**」と呼ばれている。先ほど2で，天皇の国事行為の責任は助言と承認を行う内閣が負うと述べたが，そのことからすると，内閣こそが国事行為の実質的決定を下すべきだということになりそうである（「なりそう」という，もって回った言い方になる理由は，後で述べ

る)。そうだとすれば、解散についても内閣に政治的決定権が認められるという7条説は、一見すると自然な説のように思われる。

しかし、B説がC説とは別に存在するということは、(論理必然ではないとしても)このC説に欠陥があり採用できないと考える立場があるからに他ならない。それは、「内閣の助言と承認により」という文言は、内閣の実質的決定権を含まない、という見方である。この点で実は、B説はA説と同じ立場に立っている。そして、代わりにB説が、解散の実質的決定権の根拠として持ち出すのは、権力分立制と議院内閣制という「制度」であり、だからこの説は**制度説**と呼ばれている。これもある意味ではわかりやすい説であろう。権力分立は三権の間の抑制・均衡を要請する。国会の一院である衆議院が69条によりいつでも内閣を不信任できるのであれば、逆に内閣はいつでも自由に衆議院を解散できるというのでなければ、お互いが持つ武器が対等にならず、抑制・均衡が達成できない。国会の信任に基づき成立した内閣が、とりわけ国会(特に衆議院)と意見が相違して政権運営が不安定になった場合には、衆議院を解散して国民(有権者)に信を問うべきだ、という議院内閣制の論理からも、内閣に実質的な解散権の根拠を求めることができるべきだ、ということになる。

4 制度説の弱点は？──比較憲法・憲法史から見てどうか？

このように、制度説と7条説、ともに一分の理があるように思える。そして、内閣に解散の実質的決定権を認めるという結論が同じだとすれば、学説が対立する意義は本当は乏しいのではないか？ 確かに、論争のための論争とか、純理論的な争いにすぎないものも、法律の解釈ではまま見られる。しかし、ここでの論争はそのようなものではない。だからこそ、結論が同じであっても、依然として主要な教科書レベルで、学説の対立が見られるのである。そこで、以下ではもう少し立ち入って、それぞれの説の問題点を検討してみよう。まずは制度説からである。

制度説は、憲法の全体的構造から内閣の解散権を導く点で、制度趣旨に遡った**体系的解釈**の一種である。しかしその弱点は、内閣の自由な解散権を演繹的に導くことができる程度に、権力分立制や議院内閣制という「制度」の内容は

はっきりしているのか，という点にある。そもそも日本国憲法には，権力分立制を採用するとか，議院内閣制を採用するという規定はない。憲法にあるのは，国会に立法権を（41条），内閣に行政権を（65条），そして裁判所に司法権を与える（76条1項）という規定だけであり，そこから私たちは，これらの規定の背後には権力分立制があり，したがって憲法は権力分立制を採用しているのだ，と考えているわけである。

　もちろん，誰もが権力分立制といえば，内閣が衆議院に自由な解散権を有するものだ，と理論的あるいは経験的に考えるのであれば，このような論法に疑問が差し挟まれることはないであろう。しかし現在の世界各国の憲法体制を見渡してみても，権力分立制のあり方は非常に様々である。たとえば同じ権力分立制を採用するアメリカ合衆国では，執行府（大統領）は下院の解散権を持っていない。より理論的にいうと，権力分立制には，国家権力を区別し，異なる国家機関に分離し，それらをお互いに抑制・均衡させるという3つの要請が含まれているが，このうち大雑把にいっても，区別・分離に力点を置いたもの（アメリカ）と，抑制・均衡に力点を置いたもの（日本）との両方が考えられるし，さらに抑制・均衡のあり方も，具体的な制度化は国によって様々ある。権力分立制を採っているから，内閣に自由な解散権が認められる，という論理必然の関係にはないことが，こうした**比較憲法の知見**から得られるのである。

　それでは，議院内閣制という「制度」の方はどうだろうか。実はこの制度をどのように理解するかも，非常に厄介な問題である。もともと議院内閣制は歴史的に生成してきたものであった。先に，君主の側からの懲罰として議会が解散されたと説明したが，そのことを前提に，イギリスで国王と議会が政治的に拮抗した19世紀に，議院内閣制が誕生したと考えられている。この時点では，国王が内閣の上申に基づいて自由に解散権を行使した。

　ところがそのイギリスでも，次第に議会の力が強まってくると，国王は自分の判断で解散権を行使することを控えるようになる。というのは，国王が解散を決めた後の選挙で，それまでの内閣とは対立する野党が多数を獲得すると，その野党に今度は政権が委ねられ，内閣を組織することになる。そうなると，国王と新しい内閣の関係は微妙となり，ひいては君主制が民意に反するとして危険にさらされることにもなりかねない。そこで国王としては，形式的には解

散権があるが，それについて独自の判断はせず内閣が解散を求めた場合には常に解散を認めるという形で，政治的決定をせずに，その代わりに政治的に無責任の立場を選ぶようになる。こうした「君臨すれども統治せず」の原則によって，解散の実質的決定が内閣に握られるようになったのであった（樋口陽一『比較憲法（全訂第3版）』〔青林書院，1992〕120-128頁）。大日本帝国憲法においても事情は同様で，国務大臣の「輔弼（ほひつ）」によって，天皇は衆議院を解散したのであった。

ところが，他の国では，そもそも解散権を行使できないという事態も生じた。19世紀後半に成立したフランス第三共和制憲法では，国王の代わりに置かれた大統領に下院の解散権が与えられていたが，その使い方が民意を代表する議会に対するクーデター的だと批判され，以後，第三共和制が崩壊するまで，解散権は行使されないまま，塩漬けにされてしまった（樋口・前掲151頁）。

以上，多少立ち入って比較憲法や憲法史の議論を紹介した。「世界史の話をされても……」とか，「日本国憲法の解釈をするときになぜ『外国では』という話ばかり出てくるのか？」といった疑問を感じた人もいるかもしれない。しかし，憲法の解釈（特に統治機構）においては，実はこうした議論がかなり頻繁に見られるのである。

そもそも「この制度を採用しているのだから，こう解すべきだ」という解釈のやり方に対しては，それを基礎づけるにしても批判するにしても，こうした制度が外国ではどのような形を採っているのか，どのような歴史的経緯を辿ったのかという検討が，有効打となることが多い。いま論じている制度説にも，それが当てはまる。制度説が依拠している権力分立制や議院内閣制といった「制度」は歴史的偶然の産物であり，最初から理論的にこうあるべきものとして内容が決まっており，それを各国の憲法が採用したというわけではない。また民主主義の発展に応じて，あるいは各国ごとにも，多様な違いがある。それ故に，議院内閣制という制度の「本質」はこれだと示すことは，非常に難しい。ということは，制度説は，意外と弱い基盤の上に組み立てられた解釈論ということになりそうである。

> **Column** 議院内閣制の本質とは
>
> 　実際にも，学説では，議会（下院）の信任に依拠して内閣が存立し，内閣が議会に責任を負うことを本質と見る立場（責任本質説）と，それに加えて内閣が下院に対する自由な解散権を有することを求める立場（均衡本質説）に，議院内閣制の理解は分かれている。このように議院内閣制の理解が分かれている以上，それを内閣の自由な解散権の根拠とすることも難しい。責任本質説の立場からは，日本国憲法が議院内閣制を採用しているからといって，内閣が自由な解散権を持つことまでは導かれないはずだ，だから制度説の主張は成り立たない，ということになる。これに対して，制度説の論者は，議院内閣制を均衡本質説で理解している。しかしこのことは，「なぜ内閣に解散権があるのか」と訊ねられれば「日本国憲法は議院内閣制を採用しているから」と答える一方で，「なぜ日本国憲法が議院内閣制を採用しているといえるのか」と問われれば「内閣が国会に責任を負うとともに衆議院の解散権を持っているから」と答えることになる。これは循環論法であり，法の解釈としては説得力に欠けるところがある。

5　7条説の弱点は？——その解釈を採ったらどうなるのか？

　制度説にこうした欠陥があるとすると，7条説の優位は揺るがないように思えてくる。だからこそ，代表的な教科書の相当数がこの7条説の立場を採っているわけである。しかし，それにもかかわらず，依然としてこの7条説に有力な批判があり，最近の教科書でもなお制度説（ないしそれに近い立場）が見られるのは，なぜだろうか（たとえば，長谷部76-79頁）。それは，この7条説にも重大な問題点があるからである。

　制度説の問題点は，権力分立制や議院内閣制という一義的ではない「制度」に依存したところにあった。これに対して7条説の問題点は，天皇の国事行為というしくみをどう理解するかにある。繰り返しになるが，天皇の国事行為が内閣の助言と承認によりなされることは，7条，そして6条に示される通り，衆議院の解散にとどまらない。改めて憲法の条文を見てみよう。

> 第6条　①　天皇は，国会の指名に基いて，内閣総理大臣を任命する。

> ②　天皇は，内閣の指名に基いて，最高裁判所の長たる裁判官を任命する。
>
> 第7条　天皇は，内閣の助言と承認により，国民のために，左の国事に関する行為を行ふ。
> 一　憲法改正，法律，政令及び条約を公布すること。
> 二　国会を召集すること。
> 三　衆議院を解散すること。
> 四　国会議員の総選挙の施行を公示すること。
> 五　国務大臣及び法律の定めるその他の官吏の任免並びに全権委任状及び大使及び公使の信任状を認証すること。
> 六　大赦，特赦，減刑，刑の執行の免除及び復権を認証すること。
> 七　栄典を授与すること。
> 八　批准書及び法律の定めるその他の外交文書を認証すること。
> 九　外国の大使及び公使を接受すること。
> 十　儀式を行ふこと。

　ここに挙げられている国事行為のリストを見て気づくのは，一般に天皇の国事行為は形式的，儀礼的な性格を持つものが多いということである。少し例を挙げてみよう。内閣総理大臣を誰にするかという決定権は，6条1項と67条1項によって，国会にある。だから，誰を任命したいかという決定権は，実質的にも形式的にも，天皇には存在しない。最高裁判所長官についても同じで，6条2項によって，決定権は内閣にあると定められている。法律の公布についても，41条によって国会が議決した法律を，国事行為として公布するだけの役割しか天皇にはない。4条1項が「天皇は，この憲法の定める国事に関する行為のみを行ひ，国政に関する権能を有しない」としているのは，このように国事行為は形式的，儀礼的なものであり，「国政に関する権能」ではないということを述べている，と理解できる。

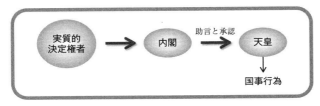

　さて，天皇の国事行為が形式的，儀礼的なものだとすると，その国事行為に

対する「内閣の助言と承認」も，まさにそのような形式的，儀礼的行為をすることについての助言と承認であることになる。内閣総理大臣の任命についていえば，既に国会が新しい内閣総理大臣を指名したことを受けて，前の内閣が，任命という儀式を行うよう天皇に対して助言と承認をするのである。その助言と承認の中には，誰を任命するか等の政治的判断は含まれていない（仮に含まれているとすると，前の内閣が次の内閣を選ぶことになってしまう）。法律の公布も同様で，内閣は，既に国会が議決した法律について，公布という形式的，儀礼的行為に対する助言と承認を行うにすぎず，そこに（実質的）決定権はないのである。これに対して，一見ややこしいのは最高裁判所長官の任命であるが，内閣に最高裁判所長官を誰にするか決める力が認められるのは，3条の定める助言と承認によるのではなく，6条によって認められた指名権の行使としてである。自分で指名内容を決めた後，助言と承認によって，天皇に国事行為をさせているのである。このように，国事行為，助言と承認，そして行為の内容の実質的決定権の関係は，天皇が俳優として国事行為を演じ，実質的決定を行う者は脚本家，そして3条・7条に基づいて助言と承認を行う内閣は完成した脚本を俳優に渡して演じさせる係に，喩えてみるとわかりやすい。内閣が自ら脚本を書いてそれを天皇に渡すという一人二役をする場合もあるが，いずれにせよ，脚本を誰が書くかは，3条・7条ではなく，別の憲法の条文が定めているのである。

　さて，こうした国事行為のしくみを確認した上で，衆議院の解散に戻ろう。7条説は，内閣の助言と承認に解散の実質的決定権が含まれている，と主張するものであった。これは，本来は誰かの書きあげた脚本を渡すという意味しかない助言と承認に，脚本を書くという意味まで読み込んでしまうことになる。制度説であれば，このような事態は生じない。それは，権力分立制・議院内閣制という制度から当然に，脚本家の役割が内閣に割り当てられることになるため，助言と承認はあくまで脚本を渡す作業にとどまり続けるからである。これに対して7条説は，助言と承認は形式的，儀礼的行為である国事行為に対するこれまた形式的な性格のものだという構造を，衆議院の解散の場合に崩してしまう結果になる。

　しかも，7条説の論理的帰結は，国事行為のしくみの理解全体へと波及して

いく。天皇の国事行為は，本来的に形式的，儀礼的な行為だからこそ，助言と承認も形式的な性格のものと理解されていた。その助言と承認に実質的決定権が含まれるということは，天皇の衆議院の解散という国事行為は，本来的には形式的，儀礼的な行為ではなく，「国政に関する権能」でもあるのだ，と理解することでもある。7条説は，もともと衆議院の解散は天皇の政治的権限に含まれるのだが，内閣がその実質的な決定を引き取ることで，天皇の行為は結果的に形式的，儀礼的な行為になるのだ，と考えることになるのである。

　ここまで注意深く読んでこられると，この7条説のように考えることは，先ほど述べた議院内閣制の歴史に沿っているのではないか，という疑問が湧くかもしれない。実は，まさしくそこが問題なのである。この7条説を採用するということは，日本国憲法の象徴天皇制を，「君臨すれども統治せず」の君主制と，同じものとして理解することを意味する。大日本帝国憲法から日本国憲法への移り変わりにもかかわらず天皇制が維持されたので，大日本帝国憲法の時代のイメージを引きずって国事行為のしくみが理解されたことは，ある意味で無理からぬところがあった。しかし，日本国憲法は天皇を「日本国及び日本国民統合の象徴」（1条）とし，さらに4条で国事行為と「国政に関する権能」を区別している。そのことを踏まえて，国事行為は本来的に形式的，儀礼的なもの，助言と承認はその形式的，儀礼的行為に対する形式的な行為，実質的決定権は3条・7条以外から導かれる，という基本的なしくみとなっているのである。7条説は，この国事行為のしくみをわざわざ崩してしまうことになるのである。

　解釈論の善し悪しを判断する際に，そこで問題となる論点それ自体を妥当に解決し，また上手に説明できていることは，もちろん重要である。しかしそれと同時に，その論点が生じる前提となっている制度のしくみが，その法解釈によっておかしなことにならないかということも，同じくらい重要なポイントである。仮に，制度説に対して権力分立制や議院内閣制という制度の「本質」を「捏造」していると批判できるとすれば，7条説に対しては，国事行為ひいては象徴天皇制の理解を「歪める」ものだという批判が，当てはまることになるだろう。

6　より良い解釈論のために

　このように見てくると、制度説と7条説それぞれの説の強みと弱みが、ともに理解できたのではないだろうか。最も代表的な憲法の教科書が、7条説を採用しながら、「この問題は、そもそも憲法の条文の不備に由来するもので、どの見解が正当であるかを決めることは難しい」（芦部50頁）と洩らしているのは、理由のないことではない。しかし、条文の意味が明確である場合には、解釈の必要はない。条文が矛盾したり不備があったりする（ように見える）ところでこそ、法解釈が求められる。そしてこの「衆議院の解散の実質的決定権の所在」という論点では、片方の説を採れば、権力分立制とは何か、議院内閣制とは何かという、統治機構の基本的な制度の「本質」があるのかという比較憲法・憲法史上の難問に足を踏み込むことになる。逆に他方の説を採れば、象徴天皇制との整合性が問題になるところへ、解釈者は追い込まれる。「前門の虎、後門の狼」とでもいえるだろうか。制度説と7条説のいずれかという選択は、ベストの解釈を選ぶというよりも、それぞれの解釈者がどちらにより大きな問題があると考えるかによってなされてきた傾向もあるように感じられる。

　国家実務は、第1回の「馴れ合い解散」以降は、衆議院の不信任決議なく解散がなされる場合が多いこと、解散詔書に「憲法7条の規定により衆議院を解散する」と記されていることから、7条説に立ったものといわれる。もっとも、詔書には理論的根拠が示されているわけではなく、解散という国事行為が憲法7条の規定によってなされたという当然のことを示しているだけで、実質的決定権の根拠に関する議論を打ち切るほどのものではない、と考えることもできよう（そもそも、どのような詔書の文面であれば、制度説の趣旨を反映させたといえるのだろうか）。

　また、「憲法の番人」たる最高裁判所も、この問題については解釈を示していない。第2回解散（1952年）はGHQの占領が終了した後であり、衆議院の不信任決議なく第3次吉田内閣は解散に踏み切った（「抜き打ち解散」と呼ばれる）。これに対して衆議院議員が解散の違憲性を理由に歳費の支払を求めて訴えた事件（苫米地事件）で最高裁判所は、衆議院の解散は「高度に政治的な行為」であって司法権の範囲外にあるとする「**統治行為論**」を展開して、解散の

	7条説	制度説
象徴天皇制	「君臨すれども統治せず」に近い	天皇は象徴にすぎない
国事行為の性質	本来的に形式的・儀礼的なものと，「国政に関する権能」の両方	本来的に形式的・儀礼的なもの
内閣の助言と承認	実質的な場合を含む	形式的・儀礼的行為
解散の実質的決定権	7条の「助言と承認」	権力分立制・議院内閣制

合憲性に触れずに訴えを棄却している（最大判昭和35・6・8民集14巻7号1206頁）。通常の法分野では，判例によって解釈上の争いに（少なくとも実務的には）一定の決着がつくことが多いが，憲法の解釈，特に統治機構の場合には，裁判で問題になりにくく，また裁判所が深入りして解釈を示すことも少ないため，決め手に欠けることがしばしばある。制度説と7条説の対立が続いているのも，こうした事情によるところが大きい。

　法解釈を学ぶ上で重要なことは，多数説（通説）がどちらかとか，通説だから○○説が正しいということを覚えることではない。解釈の対立にどのような実際的意味があるのか，結論が同じだとすればより深いレベルでどのような対立があるのか，それぞれの解釈がどのような論拠に基づき逆にどのような難点があるのか，とりわけ制度の理解や他の論点との関係で体系的に整合しているか，実質的に妥当といえるかどうか等の検討を通じて，法解釈の「作法」を学ぶことである。この「衆議院の解散の実質的決定権の所在」は，未決着の重要論点であることに加えて，法解釈を学ぶ上での「素材」として，有意義だったはずである。

----- Column　解散権の限界 -----

　ここまで，内閣による衆議院の解散の実質的根拠をめぐる解釈論の対立を紹介してきた。これに対して最近では，第2次安倍政権（2012-20年）での解散の運用を踏まえて，内閣の解散権に憲法上の限界があるかどうかが，政治の場でも憲法解釈論としても，議論されることが多い。恣意的な解散を制限するような慣習（憲法習律ともいう）を確立すべきだという見解もある。

第2節　人権の限界に関する解釈論の「型」

1　はじめに──人権の解釈論はなぜ「ヘン」なのか？

　前節で取り上げた衆議院の解散という論点は、政治的性格が濃厚であるにもかかわらず、実は法律の解釈論らしく議論できるものでもあった。これに対して、現在の憲法の解釈論では、統治機構よりも基本的人権の方に多くの比重が置かれている。そのことは、代表的な憲法の教科書の多くが、統治機構よりも人権の方により多くのページを割き、数多くの判例を紹介していることからも、一目瞭然だろう。また、多くの法学部では、民法総則や刑法総論とだいたい同じ時期に、人権の解釈論を学ぶことになる。つまり、人権の解釈論は、法解釈一般の基礎的なトレーニングにもなっている。統治機構における解釈論が必ずしも裁判を念頭に置いていないという意味で「政治的」だったのに対して（「憲法論」よりも伝統的な「憲政論」といえるかもしれない）、人権の解釈論は人権条項を裁判規範として、裁判所が解釈適用する場面を念頭に置くという点では、民法や刑法等の解釈論と同じである。

　しかし、人権の解釈論として教科書に書かれていたり、講義で展開されたりする内容は、他の法律分野の「フツウ」の解釈論とは、明らかに異質なところがある。それは、判例（とりわけ最高裁判所の判例）に対する姿勢に、端的に表れている。民法や刑法では、解釈学説の優劣を判定するものさしとして、判例をどれほどうまく説明できるか、判例と整合的でまた判例を適切に指導することができるかが、重視される。また、学説が個々の判例に批判的な場合であっても、それは判例の全体的傾向から見て逸脱している等の、いわば内在的批判であることが多い（→第1部第6章）。これに対して人権の解釈論では、主要な学説がほぼ一致して判例の結論を批判するといったことは、珍しくない。表現の自由（21条）の領域をはじめとして、判例を内在的に読み解くのではなく、まったく別の宇宙を設定してそこから外在的に判例の全体的傾向を批判しているような場合もある。

こうした事情から，学生の中には，人権の解釈論を「面白い」と感じる人も，逆に「フツウ」の解釈論と比べて緻密でない，論理的でないと感じる人も，ともに出てくる。この節では，人権の解釈論の中心となる，人権の限界を明らかにするという作業を取り上げて，なぜ人権の解釈論が「ヘン」なのか，他の分野の解釈論との共通点や違い，そして学習上の注意点について，考えてみることにしよう。

2　人権条項はもともと政治的・道徳的

そもそも，解釈の対象となる人権条項とはどのような規定なのだろうか。「国民の権利及び義務」と題される日本国憲法第3章には，10条から40条までの規定が置かれている。これらの規定で保障される基本的人権について，憲法自身は次のように説明している。

> 第11条　国民は，すべての基本的人権の享有を妨げられない。この憲法が国民に保障する基本的人権は，侵すことのできない永久の権利として，現在及び将来の国民に与へられる。
> 第12条　この憲法が国民に保障する自由及び権利は，国民の不断の努力によつて，これを保持しなければならない。又，国民は，これを濫用してはならないのであつて，常に公共の福祉のためにこれを利用する責任を負ふ。
> 第97条　この憲法が日本国民に保障する基本的人権は，人類の多年にわたる自由獲得の努力の成果であつて，これらの権利は，過去幾多の試錬に堪へ，現在及び将来の国民に対し，侵すことのできない永久の権利として信託されたものである。

つまり，基本的人権は，憲法を含む法秩序で保障される権利の中でも，人類の歴史に裏打ちされ，しかもその根拠は法秩序を超えたところにあって，全ての国民にあまねく保障されるものだ，というのが日本国憲法自身のとる立場である。これは，教科書では，人権の固有性・不可侵性・普遍性として説明される事柄である。

このことからもわかる通り，憲法の人権条項は，政治的・道徳的な宣言としての色彩が強い。民法をはじめとする法律の規定が，裁判で用いられることを

念頭に，権利の発生・変更・消滅に関する要件と効果の体系として，書かれているのとは，対照的である。

そもそも，市民革命時の「人権宣言」や，多くの近代憲法は，裁判規範ではなかった。「臣民権利義務」と題された大日本帝国憲法の第2章の諸規定も，その例外ではない。もちろん当時でも，ある法律の制定過程でこの法律は憲法違反でないかが問題視されるとか，学説が法律やその適用を違憲であると主張することは，しばしばあった。しかし，憲法が保障する権利が裁判所で法的に援用可能となるためには，立法によって実現されることが必要だというのが，当時の一般的な理解だったのである。

3　裁判規範になった人権条項

これに対して，日本国憲法は，基本的人権を**最高法規**（98条）の一部として保障している。むしろ憲法学の一般的な理解によれば，日本国憲法は基本的人権を保障するからこそ，最高法規の名に値するのだ，ということになる。それと同時に，81条は，最高裁判所に「一切の法律，命令，規則又は処分が憲法に適合するかしないかを決定する権限」を肯定しており，この規定は，下級裁判所を含む裁判所の**違憲審査権**を認めたものと解されている。

つまり日本国憲法の下で，人権条項を裁判規範として，人権条項に違反する法律の規定を違憲と判断する権限を裁判所は有しているのである。これは，今から見れば当たり前のことだが，少なくとも日本国憲法が制定された当時では，この制度を正面から認めていたのはアメリカ合衆国ほか，先進国でもまれであった。かくして，日本の裁判所と憲法学にとって，裁判の場面で，強い法的効力をもつ人権条項をどのように解釈すべきかが，課題となったのである。ある人権条項の解釈として，Aという解釈が正しいのか，それともBという解釈が正しいのかを論じる際に，そもそも裁判所が人権条項をどのように解釈すればよいかというメタレベルの問題が深く入り込んでくるのは，こうした事情によるものである。

4　人権の限界

　裁判所と学説が直面した課題は，具体的にはどのようなものなのだろうか。たとえば，21条1項を見てみよう。

> 集会，結社及び言論，出版その他一切の表現の自由は，これを保障する。

　ここでは様々な表現活動が，「表現の自由」として保障されていることがわかる。通常の解釈論であれば，「集会」「結社」「言論」「出版」のそれぞれの意義を，解釈によって明らかにする作業から取りかかる必要があるが，その後に「その他一切の表現」とあるので，ここではあまり気にしなくてもよいことにしよう。むしろ問題は，「表現の自由」を「保障する」とはどういうことなのか，である。

　一見すると，21条の字面は，あらゆる表現活動を無制限に保障しているかのように読める。しかし，たとえば数万人規模の集会に対して，政府が場所や時間について一定の規制をかけることは，全く許されないのだろうか。また，わいせつ文書頒布罪（刑175条）や名誉毀損罪（同230条）は，表現の自由を侵害するものとして，当然に憲法違反なのだろうか。他人の名誉を毀損する私人の表現活動に不法行為責任を認める（民710条・723条）ことも一切許されないのだろうか。常識的に見ても，とてもそうとは考えられない。

　他方，政府が都心での反原発デモをいかなる態様であれ絶対に禁止するとか，芸術的な性表現をいやらしくもないのに処罰するとか，あるいは政治家の公的言動の正当な批判に対して名誉毀損の責任を認めても，かまわないのだろうか。やはりそうした制限は，憲法の保障する表現の自由に反し許されない，と考えるべきだろう。

　このように考えてくると，いかなる表現活動が憲法によって保障され，いかなる表現活動の規制であれば許されるのかを，選別する作業が必要になってくる。これが従来，「**人権の限界**」として議論されてきた問題である。

-----Column　憲法解釈と法律解釈のオーバーラップ-----------
　いま，表現の自由の限界に関する事例として，わいせつ文書頒布罪や，民刑

> 事の名誉毀損を挙げた。実はまさに同じ問題は，民法・刑法のいずれの分野でも，やはり解釈問題となっている。たとえば，民法では，名誉権と表現の自由のバランスを考えながら，不法行為の成否を（憲法の分野よりも精緻に）議論するし，「人権」は憲法解釈の「専売特許」ではない。

5　一段階画定と二段階画定

　しかし，繰り返しになるが，この人権の具体的な限界を「フツウ」の解釈論によって導くことは，非常に難しい。たとえば，どのような場合に表現の自由が保障されるのかそうでないのかについて，21条1項の文言それ自体は，ほとんど手がかりを与えてくれない。いま「日本国憲法の人権条項は……」と嘆いてみせたけれども，実はそれには理由がある。外国の憲法には，人権の限界について考える手がかりを文言上明確にしている例があるからである。たとえばドイツのボン基本法5条の1項・2項は，次のように規定している。

---
① 何人も，言語，文書および図画をもって，自らの意見を自由に表明し，流布する権利，および一般に入手できる情報源から妨げられることなく知る権利を有する。出版の自由ならびに放送および映画による報道の自由は，保障する。検閲は，行わない。
② これらの権利は，一般的法律の規定，青少年保護のための法律上の規定および人格的名誉権によって，制限される。

　実はドイツでも，表現の自由の限界がこの規定によって十分明確であるというわけではなく，やはり困難な解釈作業が必要にはなるのだが，それでも日本国憲法における表現の自由の限界よりは，もう少し「フツウ」の法解釈に近づけるための手がかりがあることは確かである。というのは，このボン基本法の規定は，1項で表現の自由とはどのような権利かを，2項でその権利がどのような場合に制限されるかを，それぞれ示す二段構えとなっているからである。
　この「二段構え」の構造は，人権の限界を考える上で，重要なポイントである。4の終わりで，「いかなる表現活動が憲法によって保障され，いかなる表現活動の規制であれば許されるのか」といういい方をしたが，実は人権の限界

の考え方には次の2通りがある。第1は,「いかなる表現活動が憲法によって保障されるのか」と「いかなる表現活動の規制であれば許されるのか」を,ちょうどコインの表裏のように一致させる考え方である。具体的にいえば,集会活動が表現の自由として保障されるならば,それは絶対制限してはならない。逆に,人の名誉を毀損する表現が人権として保障されないならば,それは常に制限してもよい,ということになる。これは「**一段階画定**」と呼ばれることもあるが,ある意味では「フツウ」の解釈論らしく,また「この憲法が国民に保障する基本的人権」が「侵すことのできない永久の権利」であるという11条からも素直な考え方でもある。

しかし,この一段階画定の考え方には,次のような難点がある。たとえば,仮に集会活動が表現の自由として保障され,絶対に制限してはならないのだとすると,それでは多数の人間が武器を持って集合している場合も規制してはならないのだろうか。それはいかにもおかしく,実際にも凶器準備集合罪（刑208条の2）として規制されている。しかし一段階画定の考え方からは逆に,規制してよい場合がある以上,集会活動はおよそ表現の自由として保障されない,という結論にもなりかねない。これまたいかにも不都合で,しかも「集会」の自由を保障する憲法の明文に反する結論である。

ここまで来て,本書を読み進めて法解釈の手法に慣れてきた皆さんの中には,憲法が保障する「集会」とは「武器を持たない集会」のことだ,と解釈すればよいのではないか,と思いついた方もいるかもしれない。これは,鋭い着眼点であるけれども,実はそれでは問題は解決しないのである。たとえば,「武器」とは何だろうか。仮に「武器」を銃火器と考えるならば,竹槍や鉄パイプを伴う集会活動は,人権として一切制限できないことになる。逆におよそ竹槍を含む武器を伴うものは一切表現の自由として保障されないのだと考えるならば,今度はスローガンを旗指物として掲げる集会は表現の自由として保障されておらず,常に制限してよいということになりそうである。こういった「武器」をめぐる定義問題を度外視したとしても,では「武器を持たない集会」であれば,どんなに大人数で不穏な集会でも,絶対に規制できないというのだろうか。

このように考えてくると,「武器を持たない集会活動は表現の自由として保障され,絶対に制限してはならない」という解釈は失敗である,といわざるを

えないだろう。そしてそれは,「集会」を「武器を持たない集会」と解釈したせいではない。どのように「集会」を解釈したとしても,いまと同じ問題がおそらく生じるのである。むしろ失敗の原因は,「いかなる表現活動が憲法によって保障されるのか」と「いかなる表現活動の規制であれば許されるのか」を一致させたことに由来している。考えてみれば,武器として使用できる可能性のある道具を伴う集会活動であっても,その道具が数少なく,しかも平穏裏に行われるのであれば,それを規制してはならず,他方で本物の凶器を多数携帯した不穏な集会であれば,規制されてもやむをえない,というのが常識に合致するだろう。それはかなりのところ,具体的な事情による。そうした事情をすべて捨象して,絶対的に人権の限界を決めることには,無理があるといわざるをえない。

そこで,この一段階画定の考え方が全く採用されていないというわけではないが(たとえば「検閲」〔21条2項〕や「拷問」〔36条〕については,その定義を決めて,それに当たる国家の活動を絶対的に禁止するというアプローチがとられている),人権の限界の多くは「**二段階画定**」で考えることになっている。それはちょうど,先ほどのボン基本法5条の文言が採用するのと同じ構造である。いま問題になっている表現の自由であれば,憲法によって「ひとまず」(気取って「prima facieに」ということもある)保障される集会活動とは広い,と考えておく。そして逆に,集会活動の規制,たとえば凶器集合罪が憲法に違反するのかどうかの方を,検討するのである。ポイントは,この二段階画定では,「いかなる表現活動が憲法によって保障されるのか」をひとまず広く考えた上で,「いかなる表現活動の規制であれば許されるのか」を考えるので,両者が一致しない,という点にある。「憲法によってひとまず保障される表現活動」から「許される表現活動の規制」を引いて,真の表現の自由の限界を画定しようという,引き算の発想といえる。

6 公共の福祉

先ほどのドイツのボン基本法5条に戻ると,1項・2項の書分けからしても,二段階画定で表現の自由の限界について考えるのが自然であり,「いかなる表

現活動の規制であれば許されるのか」についても，2項で宣言している。このように見てくると，もし日本国憲法の21条1項がボン基本法5条と同じスタイルならば，同じように，表現の自由の限界を二段階画定で考えるのに……という思いがわき上がってくるだろう。

　先ほど，人権の限界の多くは二段階画定で考えられているといったが，これはまさに日本国憲法の下でも，そして表現の自由についても，当てはまる。しかし21条1項の文言のどこを見ても，「いかなる表現活動が憲法によって保障されるのか」と「いかなる表現活動の規制であれば許されるのか」を区別する手がかりは，見当たらない。人権の限界の解釈論は，この点をクリアするところから始まるのである。21条1項からいったん離れて，13条を見てみよう。

> 第13条　すべて国民は，個人として尊重される。生命，自由及び幸福追求に対する国民の権利については，公共の福祉に反しない限り，立法その他の国政の上で，最大の尊重を必要とする。

　いかにも格調高く，人権宣言らしい条文である。ところで，この「生命，自由及び幸福追求に対する国民の権利」とは，表現の自由を含む基本的人権全体のことを指している，と考えられないだろうか。仮にそうならば，この規定はただの理念的宣言ではなく，俄然として人権の解釈論の手がかりを提供することになる。たとえば，「生命，自由及び幸福追求に対する国民の権利」のところに，21条の保障する表現の自由を投入してみると，「表現の自由は，立法その他の国政の上で，最大の尊重を必要とする。ただし，それは『公共の福祉に反しない限り』である」というように読めてくる。ちょうどボン基本法5条が示していたように，「憲法によってひとまず保障される表現活動」を前提に，それが「公共の福祉」によって制限される，という二段階画定の構造を，発見できるではないか！

　いま見せた解釈作業は，人権の限界の解釈論の出発点として広く認められている。たとえば最高裁は憲法施行直後に，「国民はまた，新憲法が国民に保障する基本的人権を濫用してはならないのであって，常に公共の福祉のためにこれを利用する責任を負うのである（憲法12条）。それ故，新憲法下における言論の自由といえども，国民の無制約な恣意のまゝに許されるものではなく，常

161

に<u>公共の福祉によって調整されなければならぬ</u>」と述べている（最大判昭和24・5・18刑集3巻6号839頁）。ここには，表現の自由をひとまず広く認めた上で，それが公共の福祉によって制限される，といった二段階画定の発想が，垣間見えている。最高裁は，チャタレイ夫人の恋人事件でそのことをもう少しはっきりさせて，「憲法の保障する各種の基本的人権についてそれぞれに関する各条文に制限の可能性を明示していると否とにかかわりなく，憲法12条，13条の規定からしてその濫用が禁止せられ，公共の福祉の制限の下に立つものであり，（中略）表現の自由に適用すれば，この種の自由は極めて重要なものではあるが，しかしやはり<u>公共の福祉によって制限される</u>」と述べている（最大判昭和32・3・13刑集11巻3号997頁）。

7 「公共の福祉」とは何か？

　ここまで述べたことをまとめると，憲法によってひとまず保障されるが「公共の福祉」によって制限されるのが「人権の限界」だ，ということになる。そうすると，次の問題は「公共の福祉」とは何かであるが，これがまたとうてい一筋縄ではいかない。どういうことか，もう一度ボン基本法5条に登場願おう。そこでは，表現の自由という特定の人権が「一般的法律の規定，青少年保護のための法律上の規定および人格的名誉権」によって制限される，という構造になっていた。もちろん，「一般的法律」とは何か，ここに挙げられた以外の根拠では一切規制が許されないのか等々の問題はあるのだが，ここではそれ以上深入りしない。これに対して，「公共の福祉」は，権利濫用（民1条3項）や公序良俗（同90条）のような一般条項ないし不確定概念と同じで，あまりにも曖昧・漠然としている。「表現の自由」とは何かが具体的にはっきりしない（はっきりしているならば，一段階画定でかまわないはずだ）のと同じくらい，表現の自由を制限する「公共の福祉」とは何かは見当がつかない。しかも，この「公共の福祉」は表現の自由という特定の人権の限界にだけ関わるものではなく，先ほど引用したチャタレイ夫人の恋人事件最高裁判決がいう通り，あらゆる基本的人権の限界を画する概念のはずである。そうすると，いったい「公共の福祉」とは何なのだろうか。

ほとんどの憲法の教科書は、人権の限界について論じる際に、「公共の福祉」について、次の3つの学説を紹介している（芦部100-103頁）。

①説（一元的外在制約説）は、13条にいう公共の福祉とは、人権の外にあって、それを制約することのできる一般的な原理である、とする。

②説（内在・外在二元的制約説）は、13条にいう公共の福祉は人権制約の根拠とはなりえず、公共の福祉による制約が認められる人権は経済的自由権（22条・29条）と社会権に限られており、それ以外の自由権は権利が社会的なものであることに内在する制約に服するにとどまる、とする。

③説（一元的内在制約説）は、公共の福祉とは、人権相互の矛盾・衝突を調整するための実質的公平の原理であり、全ての人権に論理必然的に内在しており、権利の性質に応じて権利の制約の程度は異なる、とする。

ここで重要なのは、真の問題は「公共の福祉」とは何かではなく、このように何かわかりっこない「公共の福祉」を人権の限界として考えてよいのかどうかという点に、注意が必要である。たとえば①説は、まさに先の判例と同様、漠然とした「公共の福祉」がそのままに人権一般を制限できるとしたため、逆に「公共の福祉」によるとさえいえれば（そしてそれは容易である）いかなる人権の制限も許容されてしまうのではないか、という批判を受けた。これに対して②説の最大の特徴は、そもそも13条には法規範性がないとして、「公共の福祉」が人権一般を制限するという出発点を抹殺することにある。22条・29条にいう「公共の福祉」は、あくまで両条文の保障する職業選択の自由や財産権を制限するもの、つまり特定の人権についての制限根拠として認められるが、それ以外の人権、たとえば表現の自由については、人権制限の根拠はないことになる。実際に②説は、権利に内在する制約の限度で人権制限が許されると述べているが、これは一段階画定的にも、二段階画定的にも受け止められる表現である。

最後の③説は、「公共の福祉」が人権一般を制限するという②説の捨てた出発点に立ち戻りながらも、今度は「公共の福祉」の内容を一定程度限定しようとした点に、妙味がある。①説にいう「公共の福祉」とはあくまで人権を外から制約する無限定の概念であるのに対して、③説にいうそれは、人権に内在するものとして、だからこそ人権相互の矛盾・衝突の場合にのみ出番のある、そ

163

の意味では限定されたものと理解されている。

8 比較衡量

　しかし，この③説もまた，批判にさらされて久しい（長谷部103-105頁）。第1に，この説によると，人権を制限する根拠は他の人権だけだということになる。これは，①説が無限定な「公共の福祉」概念を採用し，広汎な人権制限を許したことと比べて，意味のあることではある。しかし，この③説を文字通り受け取ると，たとえば屋外広告物の規制では表現の自由と何が衝突しているのだろうか。ここで実現されるのは都市の美観風致の維持という利益だが，それを「人権」として説明するならば，何でもかんでも人権ということになりかねない。第2に，人権と他の人権を「どう」調整するのかについて，この説は何も語っていない。名誉権と表現の自由の調整にしても，どのような場合に表現の自由が優越し，どのような場合に名誉権が優越するのかは，この説からは具体的に決まってこないのである。実際に，この③説を唱えた宮沢俊義は，違憲審査権を有する裁判所による判例の積み重ねによって，「公共の福祉」は具体的に明らかになるもの，と考えていたのだった（宮沢俊義『憲法Ⅱ（新版）』〔有斐閣，1974〕238頁）。

　それでは，その判例は，「公共の福祉」にどのようにアプローチしているのだろうか。事柄が複雑なだけに，時代により，また場面により，判例はさまざまな姿を取ってきているが，大きな流れとしては，人権とそれを規制する利益の比較衡量（裁判所はしばしば人権の限界について比較較量という場合もあるが，ここでは一般の比較衡量と同じと理解してよい。→第1部第4章）により，人権の限界を決めるという立場である。たとえば最高裁は，表現の自由の規制の合憲性を「憲法の保障する表現の自由が，憲法の定める濫用の禁止と公共の福祉の保持の要請を越えて不当に制限されているかどうか」によって判断したことがある（最大判昭和35・7・20刑集14巻9号1197頁）。この判例は，公共の福祉の要請を越えた人権制限が違憲となること，換言すれば，公共の福祉にも限界があることを示した点では，③説に近づいたともいえる。さらに最高裁は，全逓東京中郵事件で，勤労者の労働基本権が「国民生活全体の利益の保障という見地から

の制約を当然の内在的制約として内包している」と述べ，さらに労働基本権の制限が「労働基本権を尊重確保する必要と国民生活全体の利益を維持増進する必要とを比較衡量して」決すべきであり，「その制限は，合理性の認められる必要最小限度のものにとどめなければならない」と述べた（最大判昭和41・10・26刑集20巻8号901頁）。ここでいう「内在的制約」は③説のそれとは同一ではないが，人権の制限がその人権に内在する制約として，合理的かつ必要最小限度にとどめられるべきことを示している。

　さらに博多駅事件の最高裁決定は，公正な刑事裁判の実現と取材の自由の調整の比較衡量によって，取材テープの提出命令の可否を判断した（最大決昭和44・11・26刑集23巻11号1490頁）。こうした流れの集大成として，第1次家永教科書訴訟最高裁判決（最判平成5・3・16民集47巻5号3483頁）は，「憲法21条1項にいう表現の自由といえども無制限に保障されるものではなく，公共の福祉による合理的で必要やむを得ない限度の制限を受けることがあり，その制限が右のような限度のものとして容認されるかどうかは，制限が必要とされる程度と，制限される自由の内容及び性質，これに加えられる具体的制限の態様及び程度等を較量して決せられるべきものである」としている。こうして判例の発展を眺めてくると，抽象的に「公共の福祉」による人権制限を許容していた当初の①説に近い立場から，その「公共の福祉」自体も「合理的で必要やむを得ない」という限度で人権が制限できるにすぎず，その中身を規制される人権と規制する利益との比較衡量によって判断する，という立場への展開を確認することができるだろう。

9　比較衡量の難しさと「類型的比較衡量」

　しかし（と逆説ばかりが続いて恐縮だが……），この比較衡量により人権の限界を判断するという手法には，なお大きな問題がある。それは，「事案に即した利益衡量論」（→第1部第4章第3節）の抱える一般的問題にも関わるが，憲法の場合はもう少し事情が込み入ったところがあるからである。たとえば，表現の自由と名誉権の衡量は，お互いに個人的法益であるため，裁判所としては民事・刑事一般での利益衡量の発想に馴染みやすいところがある。これに対し

て，表現の自由と——いかにも「公共の福祉」という言葉から連想しやすい——国家的法益の間は，どのように調整するのだろうか。この問題を扱った裁判例として有名なのが，外務省秘密電文漏えい事件である。本書の別の箇所でも鋭く指摘されている通り（→第1部第3章第2節，第3部第11章第1節4(2)），本来この事件では，報道の自由と国家秘密の保護の調整が問題のはずだったのに，最高裁は問題となった取材行為が「取材対象者の個人としての人格の尊厳を著しく蹂躙する等法秩序全体の精神に照らし社会観念上認めることのできない態様のもの」であることを理由に，大雑把にいえば女性の人格の尊厳を国家秘密に上乗せする形で，報道の自由が人権の限界を超え処罰の対象となってもやむをえない，と結論づけた（最決昭和53・5・31刑集32巻3号457頁）。しかしこの点を抜きにして，報道の自由と国家秘密の保護の調整に限ったとしても，それをどのように比較衡量するのかは，やはりわからない。多くの憲法研究者が，人権と公益を比較した場合には，公益の方が大きく見えてしまい，その結果，人権の制限が許されてしまうのではないか，と懸念しているのは，それなりの理由があるといえよう。

　ところで，この事件は，比較衡量のもう1つの問題点を顕わにしている。最高裁決定は，問題となった記者の取材行為が「唆し」の構成要件に当たるとしながら，違法性阻却の段階で比較衡量を行ったのだが，こうしたやり方については，実は既に原審が，「煩瑣で，ともすれば客観性に欠け，恣意的判断に陥りやすい手法」であり，「報道目的のための取材活動として公務員に対し秘密漏示をしょうようする行為の，どの範囲のものが犯罪として処罰されるかについての基準が不明確となり，可罰性についての客観的判定基準の予測が困難になる」と批判していた（東京高判昭和51・7・20判時820号26頁）。ここで指摘されているのは，個別の事件ごとの比較衡量が，どのような場合に人権が規制され，どのような場合に規制されないのかの予測を立てにくくし，その結果として裁判官の主観的な憲法判断に陥りやすいという問題点である。これまでも触れてきた「裁判官がどのように人権条項を解釈すればよいのか」というメタレベルの問題が，比較衡量の場合には，ある意味ではっきりした形で現れてきてしまうのである。

　そして，判例も別の分野では，この問題点に目を背けてきたわけではない。

たとえば北方ジャーナル事件最高裁判決は，出版差止めが認められるか，という問題について，その出版物における表現の自由の価値とその出版物によって損なわれる名誉権を具体的に比較衡量する，という手法を採らなかった。むしろ最高裁は，問題となった事例を公職者ないし公職の候補者に対する名誉毀損的表現というように類型化した上で，この類型では一般的に表現の自由が重要であることを前提にしながら，出版差止めが認められる場合を限定する基準を導いたのである（最大判昭和 61・6・11 民集 40 巻 4 号 872 頁）。あるいは，民事訴訟における取材源秘匿が認められる要件についても，取材の自由の一般的な重要性を強調した上で，それと公正な裁判の利益を調整する基準が示されている（最決平成 18・10・3 民集 60 巻 8 号 2647 頁）。ここでの比較衡量は，「事案に即した利益衡量論」ではなく，より一般的な事例の類型を解決するための「ルール」を導く解釈プロセスの中で，用いられているものである。このような比較衡量は「**類型的比較衡量**」と呼ばれることもあるが，抽象的な公共の福祉論や個別的な比較衡量と比べ，「型」に沿った解釈論だといえよう（→第 1 部第 4 章第 3 節）。

10　規制の必要性・合理性を問うアプローチ

とはいえ，こうした類型的比較衡量も，いついかなる場合でも頼りになるわけではない。人権の限界が裁判で（真剣に）争われることはそうそうなく，とりわけ人権を制限する法律の合憲性が問題になる場面では，規制として共通性のある「類型」を観念することも困難な場合が多い。このような場合，判例は先ほどの比較衡量の手法で簡単に法律を合憲とすることもあれば，比較衡量を別のやり方で構造化しようとすることもある。

たとえば，尊属殺を普通殺よりも加重して処罰する旧刑法 200 条の合憲性が争われた事例で，最高裁は，加重の目的である「尊属に対する敬愛や報恩という自然的情愛ないし普遍的倫理の維持尊重」は合理的であるとしながらも，法定刑が死刑または無期懲役に限られているのはあまりにも厳しく，「合理的根拠に基づく差別的取扱いとして正当化することはとうていできない」とした（最大判昭和 48・4・4 刑集 27 巻 3 号 265 頁）。さらに森林法事件で最高裁は，「財

産権に対して加えられる規制が憲法29条2項にいう公共の福祉に適合するものとして是認されるべきものであるかどうかは，規制の目的，必要性，内容，その規制によって制限される財産権の種類，性質及び制限の程度等を比較考量して決すべきものである」という出発点から進んで，「立法の規制目的が前示のような社会的理由ないし目的に出たとはいえないものとして公共の福祉に合致しないことが明らかであるか，又は規制目的が公共の福祉に合致するものであっても規制手段が右目的を達成するための手段として必要性若しくは合理性に欠けていることが明らか」な場合には，規制は違憲である，と述べている（最大判昭和62・4・22民集41巻3号408頁）。

このように，判例は多くの人権制限立法の合憲性の審査において，法律の規定をそれが達成しようとする目的とそのために採用された手段という2つの側面に分解して捉えた上で，立法目的の正当性と目的達成手段の合理性・必要性を審査するというやり方で，比較衡量を，究極的には人権の限界を判断しようとしている。これは「目的・手段図式」とか「比例原則」と呼ばれる枠組みで（芦部106-107頁），実際にも法令違憲判決の多くは，この枠組みを通じて導かれている。こうした判断枠組みは，もちろん，先ほど述べたような比較衡量の問題点を全て解消することはできない。しかし，人権と対立する利益のどちらが上回るか，という直感的な議論ではなく，立法目的が正当か，規定の手段が立法目的を達成するのに合理的か，目的達成に必要な限度を超えていないか，という形で分節して，1つ1つについて丁寧に議論していくならば，少なくとも他の――同じ類型とまではいえないまでも――似たような規制の合憲性との比較をある程度可能にし，また裁判官の思考プロセスを検証可能なものにすることで，裁判官の判断をより客観的で明晰なものにすることができる。

11 「二重の基準論」とその狙い

以上，駆け足で概観してきた（詳しくは憲法の教科書でしっかり確認してほしい）人権の限界に関する判例の立場は，1本の巨木に喩えることができる。その根っこには，抽象的な公共の福祉論があり，それはまだ否定されていないが，その上に比較衡量という太い幹が伸びている。この幹はさらに，個別的比較衡量，

類型的比較衡量，さらには目的・手段図式というように枝分かれしており，その先にときおり違憲判決や人権に有利な判断が花開くこともある，といったように。

これに対して学説は，判例とは別のやり方で比較衡量を精緻化することを考えてきた。それは，人権を制限する立法を，規制される人権や規制の仕方に応じて大雑把に分類する。そして，表現の自由を含む精神的自由権を規制する法律は，経済的自由権よりも厳しく審査されなければならないという立場を出発点にして，たとえば表現の自由についてその内容を規制する立法については厳格審査，表現の時・所・方法を規制する立法は中間審査というように，裁判所が用いるべき「違憲審査基準」をあらかじめ用意するのである。この枠組みは**「二重の基準論」**ないし「違憲審査基準論」と呼ばれている（芦部104-105頁）。

実際にこの違憲審査基準の下では，規定の目的と目的達成手段の両面について審査が行われることになる。また最高裁自身も，薬事法事件で，「職業の自由は，それ以外の憲法の保障する自由，殊にいわゆる精神的自由に比較して，公権力による規制の要請がつよ」いと述べたり（最大判昭和50・4・30民集29巻4号572頁），また泉佐野市民会館事件では「集会の自由の制約は，基本的人権のうち精神的自由を制約するものであるから，経済的自由の制約における以上に厳格な基準の下に〔較量〕されなければならない」と述べたりしている（最判平成7・3・7民集49巻3号687頁）。その意味では，学説の「二重の基準論」と判例の立場は，そう隔絶したものではない。

しかし，両者の間には，見逃すことのできない決定的な相違がなお存在する。それは突き詰めると，比較衡量の問題点，さらには裁判所が人権条項を解釈することの問題点をどこまで解消しようとするかの違いということができる。人権の限界に関する比較衡量の問題点としては，先に，裁判官の恣意的な判断になりがちだという点と，人権を規制する公益に有利に人権に不利になりがちだという点の2つがあることを示した。そして，判例の比較衡量論やそれを前提にした目的・手段図式によれば，裁判官の判断をある程度客観化できることも，既に述べた。これに対して，人権に有利な判断が出にくいという比較衡量のもう1つの問題点は，実は解消されていない。このことはとりわけ，立法目的の正当性，目的と禁止の合理的関連性，規制によって失われる利益と得られる利

益の均衡という，まさに目的・手段図式の「はしり」ともいうべきしっかりした判断枠組みをとりながら，結論としては公務員の政治的表現の制限をあっさりと合憲とした（と学説が考えている）猿払事件最高裁判決（最大判昭和 49・11・6 刑集 28 巻 9 号 393 頁）によって，示されている。学説の多数は，この判決自身の採用した枠組みの問題点を指摘したり，個々の判断内容を批判してきた。しかし，判例は最近までそれに耳を貸すことなく，問題の規制を合憲と判断し続けたり，他の表現の自由の規制にもこの判決の枠組みと結論を転用してきたりしたのである。

　これに対して「二重の基準論」の狙いは，「このように人権制限が分類されるならば，この審査基準の下で判断しなければならない」という形で，あらかじめ一定の枠内に裁判官の解釈を封じ込めてしまうことにある。とりわけ表現の自由の規制については，判例の目的・手段図式と比べると，立法目的が単に「正当」であるだけではなく「重要」ないし「やむにやまれぬ利益」といえなければならないこと，また目的達成手段について「他に選びうるより制限的でない手段（LRA: Less Restrictive Alternative）」がないこと等，厳格な審査基準によって，裁判官の解釈はかなりの程度，人権制限を違憲といわざるをえない方向に仕向けられる。

　かくして，この節の冒頭で提示した，なぜ人権の解釈論は「ヘン」なのかという疑問に，ようやく一応の答えを示すことができる。「○○のような表現の自由の制限は違憲である」という形で展開される「フツウ」の解釈論よりも，「表現の自由の内容規制は厳格審査で判断すべきである」等という「ヘン」な解釈論が多いのは，これまで述べてきた長い経緯と，判例の展開を踏まえた上で，メタレベルで，裁判官の解釈をコントロールしようとしてきたのである。二重の基準論の基礎づけや，その具体的な内容については，立ち入ることができないけれども，なぜ「フツウ」の解釈論ではないのかという角度から，人権の解釈論の特徴がそれなりに腑に落ちてくれれば，この節の狙いは十分に達成できたことになる。

（宍戸）

第3部
2つの視点から考える法解釈

Introduction
第1部　法解釈を始めよう
　　第1章　まずは条文を眺めてみよう
　　第2章　条文を解釈しよう
　　第3章　各法分野における法解釈の特徴
　　第4章　法解釈と利益衡量論
　　第5章　解釈の対象となる法
　　第6章　判例・学説の関係
第2部　各法分野における法解釈の例
　　第7章　民法
　　第8章　刑法
　　第9章　憲法
第3部　2つの視点から考える法解釈
　　第10章　広島市暴走族追放条例事件
　　第11章　立川テント村事件
　　第12章　利息制限法と司法

第3部のはじめに

　この本では，まず一般的に，法の解釈についての基礎知識を学んだ（第1部）。そして，民法・刑法・憲法の各分野で，法の解釈が具体的にどのようになされているのか，それぞれの分野で注意すべき点はどのようなものかについて，個別に紹介してきた（第2部）。ここまでマスターすれば，法の解釈という作業がどのようなものか，ひとまず理解していただけたのではないかと思う。

　しかし，法の解釈の「プロ」を目指すには，ここで立ち止まってはいけない。同じ法令の規定でも解釈の帰結がしばしば異なることを，しかも，解釈の下手な人が「間違った」解釈をしたというのではなく，優れた法律家同士の解釈が対立する場合があることを，これまでも見てきた。こうした対立がとりわけ鋭くなるのは，その法律問題が複数の法分野にまたがる場合である。第2部で紹介した，分野ごとの解釈の「作法」によって，その法律問題は，異なる姿で捉えられ，異なる解釈の帰結が導かれることがあるからである。そして，法秩序全体にとって根本的な問題，あるいは社会の発展に応じて新しく登場した，従来の法学体系から見て「ハイブリッド」な問題こそ，このような分野ごとの解釈の違いが鮮明に現れることが，多いといえる。

　この点で注意が必要なのは，わが国の法学の研究・教育のシステムが，民法・刑法・憲法のように「縦割り」になっており，このため学部や法科大学院の講義も，分野ごとに自足的・完結的な「正しい」解釈の追求で，終わってしまう場合が多いという点である。法の解釈の「プロ」は，各分野での学習を総合して，法秩序全体の見地から個別の規定を解釈して事案を妥当に解決できなければならないが，そのような「プロ」になる訓練は，残念ながら，1人ひとりの学習努力に委ねられてきた。

　本書は法解釈の「入門」であって，そのような高度な訓練にまでは手が届かないが，この第3部では，読者の皆さんの今後の学習のために，まさに分野ごとに解釈の異同が生じるような問題を取り上げてみたい。私たち3人が，それぞれの分野からどのように法を解釈するかはもちろんだが，他分野の解釈をどのように見ているか，さらには分野ごとの違いをよしとしているとすればそ

の理由は何か,あるいは違いをどのように乗り越えようとしているのかを,観察してもらいたいと思う。

(宍戸)

第10章

広島市暴走族追放条例事件
── 憲法と刑法の視点から ──

第1節 憲法の視点から

1 はじめに

　複数の法分野にまたがる問題として，第3部では3つの事件を取り上げるが，本章では，刑法と憲法にまたがる一大テーマである，犯罪構成要件の明確性をめぐる問題を取り上げたい。

　国家の刑罰権は個人の法益を守り社会の秩序を維持する上で不可欠な作用であるが，そうであるがゆえに国家権力によって濫用されるおそれがあり，またその行使を誤れば国民に多大な被害が生じる。そこでそのような刑罰権の濫用を防止し適正に行使させるために，「法律なければ犯罪なく，法律なければ刑罰なし」が近代国家の原則とされている。これが**罪刑法定主義**の原則であり，刑法分野で最も重要な原則とされていることは，いわば当然であろう。「何人も，法律の定める手続によらなければ，その生命若しくは自由を奪はれ，又はその他の刑罰を科せられない」と定める憲法31条は，罪刑法定主義を憲法上の原則として（も）保障している，と考えられている。

　この原則は，法律さえあればどのような刑罰を国民に科してもよい，ということを意味するものではない。もしそうだとすれば，法律さえ作ればいかようにも国民を処罰できることになってしまうから，国民のために国家の刑罰権を抑制するという原則の趣旨は，ほとんど骨抜きにされてしまうだろう。むしろ，法律が必要であることは当然とした上で，その法律が刑罰を科す根拠としてふさわしいものかどうか，いわば法律の「資格」についての要請も，罪刑法定主

義から論理的に導かれる,と考えられている。その1つの要請が,法律は,刑罰を科される「犯罪」とはいかなる行為であるかを,あらかじめ明確に示しておかなければならない,ということである。そもそも,なぜ「法律なければ犯罪なく,法律なければ刑罰なし」という原則が必要なのかを考えてみると,どのような行為をしたら刑罰の対象とするかを,集合体としての国民が代表者を通じて自ら決めるべきであるという民主主義的な理由と,恣意的な処罰を防ぎ,どのような行為をしたら処罰されるのかをあらかじめ予測できるようにして,個々の国民の行動の自由を確保するという自由主義的な理由の2つがある。いま議論している「**犯罪構成要件の明確性**」という問題は,主として後者の自由主義的な理由に関わっている。

　もちろん,法律の規定は明確であることが望ましい。しかし明確性を追求すればするほど,法律の規定が煩雑になったり,本来規制すべき行為を規制できなくなったりといった不都合が生じることも見やすい道理である。これは,本書でたびたび扱ってきた,法律の規定だけでは不十分で,法解釈が必要なのはなぜか,という問題の最も基本的な局面だともいえる。しかし,法を執行する者の恣意的で「後付け」的な解釈によって処罰される範囲が決まるならば,それは処罰される国民個人にとって重大な人権侵害となるというだけでなく,広く国民全体の行動の自由が萎縮するという結果にもつながりかねない。他の分野以上に刑法分野で解釈の限界が厳しく考えられてきたのは,まさしくこのためである（→第1部第3章第2節2）。

　ところで,憲法分野からは,犯罪構成要件の明確性に関する議論については,もう1つ重要な観点が加わる。先ほど,どのような行為が「犯罪」となるかを,解釈ではなく規定の上で明確にしておかなければ国民全体の行動の自由が萎縮するという事情を強調したが,こうした行動の自由一般の中でも,憲法の基本的人権の中で特に手厚く保障する必要が高いのが,集会の自由を含む**表現の自由**（21条）である。このため,表現活動を規制する法令の規定は,**萎縮効果**を極力生じさせないように,他の法令よりも明確であるべきだと考えられており,そのことは7で見る札幌税関検査事件で最高裁も認めている。

　こうした表現活動の規制に関わる「犯罪構成要件の明確性」について,最高裁が下したある判決が,刑法と憲法の両分野から注目されている。それが広島

市暴走族条例事件判決（最判平成 19・9・18 刑集 61 巻 6 号 601 頁）である。

2 どのような事件か

　広島市では，暴走族が暴走行為のほか特攻服を着て繁華街の広場や歩行者天国を占拠して集会を開いたり，それに「チーマー」等の非行少年グループも参加したりしたため，一般市民や観光客に威圧感・恐怖感を与えていた。また，暴走族間のトラブルを仲裁する代わりに上納金を徴収する暴力団関係者（「面倒見」）の関与が見られるなど，暴走族が違法行為の温床ともなっていた（ちなみに，当時広島県は暴走族の年間逮捕者数が全国1位であり，広島県警を中心に，暴走族の取締まりを進めていた）。

　そこで広島市は 2002（平成 14）年，「暴走族追放条例」（平成 14 年広島市条例第 39 号）を制定した。本件で問題となった規定は，次のようなものである。

> （目的）
> 第 1 条　この条例は，暴走族による暴走行為，い集，集会及び祭礼等における示威行為が，市民生活や少年の健全育成に多大な影響を及ぼしているのみならず，国際平和文化都市の印象を著しく傷つけていることから，暴走族追放に関し，本市，市民，事業者等の責務を明らかにするとともに，暴走族のい集，集会及び示威行為，暴走行為をあおる行為等を規制することにより，市民生活の安全と安心が確保される地域社会の実現を図ることを目的とする。
> （定義）
> 第 2 条　この条例において，次の各号に掲げる用語の意義は，それぞれ当該各号に定めるところによる。〔中略〕
> 　七　暴走族　暴走行為をすることを目的として結成された集団又は公共の場所において，公衆に不安若しくは恐怖を覚えさせるような特異な服装若しくは集団名を表示した服装で，い集，集会若しくは示威行為を行う集団をいう。
> 　〔以下略〕
> （行為の禁止）
> 第 16 条　何人も，次に掲げる行為をしてはならない。
> 　一　公共の場所において，当該場所の所有者又は管理者の承諾又は許可を得ないで，公衆に不安又は恐怖を覚えさせるような い集又は集会を行うこと。

〔以下略〕
（中止命令等）
第17条　前条第1項第1号の行為が，本市の管理する公共の場所において，特異な服装をし，顔面の全部若しくは一部を覆い隠し，円陣を組み，又は旗を立てる等威勢を示すことにより行われたときは，市長は，当該行為者に対し，当該行為の中止又は当該場所からの退去を命ずることができる。
（罰則）
第19条　第17条の規定による市長の命令に違反した者は，6月以下の懲役又は10万円以下の罰金に処する。

　市内の暴走族は，例年，広島市中区の胡子神社の例祭「えびす講」に合わせて「引退式」を開いていたが，2002年は本条例施行後初めて迎えた例祭として広島県警も厳重な警戒体制を敷いたため，同例祭の期間中は大きな混乱はなかった。ところがその直後の週末である，2002年11月23日の夜に，事件が起きる。Xは，もともと暴走族「観音連合」に加入していたが，2002年8月からは指定暴力団の組員に頼んで「面倒見」となっていた。同日の午後10時31分頃から，観音連合のメンバー約40名とともに，「広島市西新天地公共広場」で，無許可で「特攻服」を着用し円陣を組んで集会を開いた。広島市の職員は午後10時35分頃から本条例17条に基づき集会の中止・退去を命令したが，Xらはこれに従わずに午後10時41分頃まで集会を継続したため，逮捕・起訴された。
　1審はXに懲役4月，執行猶予3年の有罪判決を言い渡し，2審もXの控訴を棄却したため，Xは本条例の規定が不明確であり，憲法21条1項，31条に違反するとして，最高裁に上告したのである。

3　何が問題となったのか

　ここでは，これまでの広島市内の暴走族の暴走行為等の立法事実を踏まえれば，公衆の平穏のためXの行為を制限すること自体は憲法21条1項との関係でも許されると，考えておこう（この点についても本判決は説示しているが，ここでは省略する）。本件での中心的な争点は，Xの行為を処罰する規定としての本

条例の規定が憲法 31 条や 21 条の求める「犯罪構成要件の明確性」を満たしているかどうか，という点にある。もし本条例の規定が不明確で違憲無効だとすれば，そもそも X を処罰する法的根拠は失われ，X は無罪となる。そこで本条例の規定を振り返ってみると，次のようなことに気がつく。

　まず，X は本条例 17 条の中止命令に違反したとして起訴されているわけだが，その中止命令の前提となるのは 16 条による集会の禁止である。そして X の行った行為は，確かに 16 条 1 号の禁止に当たるように思われる。しかし同条号のいう「公共の場所において，当該場所の所有者又は管理者の承諾又は許可を得ないで，公衆に不安又は恐怖を覚えさせるようない集又は集会を行うこと」は，ずいぶんと不明確な規定である。たとえば，「公共の場所」とはどのような場所だろうか，「公衆に不安又は恐怖を覚えさせる」とはどのような状態だろうか，さらに「い集」とはどのような行為なのだろうか。極端な例を挙げれば，繁華街の大通りで，大勢の広島カープファンが広島カープのユニフォームを着て旗を立てて応援していてそれが巨人ファン等に不安を覚えさせれば，この条例の禁止・中止命令の対象になるのだろうか。つまり，本件 X の行為と関係では本条例の規定は明確かもしれないが，国民一般にとっては，どのような行為がこの条例の規制対象になるのかわからない，あるいは自分の行為がこの条例の規制対象なのかもしれない，という不明確さが残るのである。

　いやいや，この条例は「暴走族追放条例」と銘打たれているのだから，規制の対象は暴走族に限られるに決まっている，と考える人もいるだろう。ところがそのように考えても，安心できない事情が 2 つある。第 1 は，集会等を禁止する 16 条の名宛人は「何人も」とされていて，文言上，暴走族に限られていないのである。いや，この「何人も」と書いているのも「暴走族追放条例」である以上「暴走族」のことに違いない，と頑張ることもできる。しかしそうだとすると，この禁止の名宛人の範囲は，「暴走族」の定義を定める 2 条 7 号によって決まることになる。そうすると，先ほどの広島カープファンは，「公共の場所において，公衆に不安若しくは恐怖を覚えさせるような特異な服装若しくは集団名を表示した服装で，い集，集会若しくは示威行為を行う集団」と見ることもできないわけではないから，先ほどのような事例は，16 条 1 号の構成要件に当たるかもしれないのである。

4　最高裁の回答

　本件で最高裁が直面したのは，まさしくこうした，条例 16 条の構成要件が不明確なのではないか，という問題であった。それを最高裁は，いま懸念したとおり，「本条例は，暴走族の定義において社会通念上の暴走族以外の集団が含まれる文言となっていること，禁止行為の対象及び市長の中止・退去命令の対象も社会通念上の暴走族以外の者の行為にも及ぶ文言となっていることなど，規定の仕方が適切ではなく，本条例がその文言どおりに適用されることになると，規制の対象が広範囲に及び，憲法 21 条 1 項及び 31 条との関係で問題がある」というかたちで整理する（判旨①-1）。

　最高裁はしかし，次のような点を指摘する。まず目的規定（条例 1 条）をみると，本条例は「暴走行為，い集，集会及び祭礼等における示威行為が，市民生活や少年の健全育成に多大な影響を及ぼしているのみならず，国際平和文化都市の印象を著しく傷つけている」存在としての「暴走族」を対象として想定するものと解される。さらに条例には少年が加入する「暴走族」を想定する規定や，暴走行為自体の抑止を眼目とする規定も数多く含まれており，さらに条例の委任規則である条例施行規則は，条例 17 条の中止命令等を発する際の判断基準として，「暴走，騒音，暴走族名等暴走族であることを強調するような文言等を刺しゅう，印刷等をされた服装等」の着用者の存在（条例施行規則 3 条 1 号），等を挙げている。そこから最高裁は次のようにいう。

　「このような本条例の全体から読み取ることができる趣旨，さらには本条例施行規則の規定等を総合すれば，本条例が規制の対象としている『暴走族』は，本条例 2 条 7 号の定義にもかかわらず，暴走行為を目的として結成された集団である本来的な意味における暴走族の外には，服装，旗，言動などにおいてこのような暴走族に類似し社会通念上これと同視することができる集団に限られるものと解され，したがって，市長において本条例による中止・退去命令を発し得る対象も，被告人に適用されている『集会』との関係では，本来的な意味における暴走族及び上記のようなその類似集団による集会が，本条例 16 条 1 項 1 号，17 条所定の場所及び態様で行われている場合に限定されると解される。」（判旨①-2）

これとは別の節で，最高裁は「所論は，本条例16条1項1号，17条，19条の各規定が明確性を欠き，憲法21条1項，31条に違反する旨主張するが，<u>各規定の文言が不明確であるとはいえないから</u>，所論は前提を欠く」とも述べている（判旨②）。

5　漠然性・過度の広汎性

このように，最高裁は本件条例の構成要件が不明確ではない，との結論を出した。しかし，いまの判旨①②が別々の説示であることからわかるように，「犯罪構成要件の明確性」の問題は，厳密には2つの異なる側面を含んでいる。

まず判旨①から考えてみよう。判旨①-1は，本件条例の「規定の仕方が適切ではなく，……規制の対象が広範囲に及〔ぶ〕」ことを問題にしていた。これは3で述べた表現では「自分の行為がこの条例の規制対象なのかもしれない」という問題である。これに対して判旨②が問題にしているのは，「どのような行為がこの条例の規制対象になるのかわからない」という問題である。判旨①は，本来規制すべきでない人々が文言上は規制の対象に含まれてしまっており，規制の範囲が広すぎるのが問題であるのに対して，判旨②では，本来規制すべき人であれそうでない人であれ，この規定のいいたいことがわからない，という問題である。

もう少し具体的にいうと，先ほど触れたこの条例の規定の疑問のうち，「公共の場所」「公衆に不安又は恐怖を覚えさせる」「い集」とは何をいっているのかわからないという問題が，判旨②が扱っているものである。これに対して，「何人も」が（仮にそれを「暴走族が」と解釈したとしても）広すぎるというのが判旨①の問題である。

この2つの問題は，似ているし重なるところもあるので，従来は同じ「明確性」の問題として議論され，最高裁もそのような立場を採ってきた。ところが憲法学では，アメリカの議論を参考にしながら，判旨①の問題が「**過度の広汎性**（overbreadth）」，判旨②の問題が「**漠然性**（vagueness）」として概念的に区別されるようになってきた（長谷部206-209頁）。本判決の意義は，憲法学の側から見ると，最高裁が過度の広汎性と漠然性の問題を区別して検討した，という

ところにあるのである。そして判旨②は,「不明確だ」という上告理由に対して「不明確でない」と答えているだけだから,最高裁としては規定の漠然性にあまり問題を感じなかったのであろう。これに対して判旨①は,本件条例に「過度の広汎性」の問題があり,それなりの理由づけをもってこの問題を取り扱っている。したがって,この取扱い方が適切だったかどうかが,本判決に対する評価の分かれ目になるのである。そしてまさにこの点について,本判決に関与した5人の最高裁判事のうち,実に2人の判事がそれぞれ補足意見,2人の判事がそれぞれ反対意見を明らかにした。ということは,意見を書かずそのまま多数意見に加わった近藤崇晴裁判官を含めてまさに「一人一説」ということになる。このような判決はさすがに珍しいが,なぜそのように議論が分かれたのであろうか。

6 過度の広汎性と合憲限定解釈

そこでもう一度,「犯罪構成要件の明確性」のうちで,過度の広汎性がどういう特殊な問題なのかを,考えてみることにしよう。犯罪構成要件の明確性が求められたのは,どのような行為をしたら処罰されるのかをあらかじめ予測できるようにして,恣意的な処罰を防ぎ,個々の国民の行動の自由を確保するという自由主義的な理由によるものであった。先の区別でいうと,「漠然性」とは,まさしくこの犯罪構成要件の明確性そのものということができる。これに対して過度の広汎性とは,規定が漠然としていようがいまいが,文言上処罰の範囲が広すぎて憲法上規制すべきでない行為まで対象にされていることを問題にしているので,実は「漠然性」とは関係ないということもできる。しかし過度に広汎な規定は,特に表現活動について,文言上規制の対象となっているので心配して,活動が萎縮してしまうという,1で述べた問題が起きる。これは,漠然とした規定がそれゆえに自分の行動が規制されているのかいないのかわからないという事態と似ている。このように漠然性と過度の広汎性には重なる部分があるので,「犯罪構成要件の明確性」の中で一緒にされてきたことにも,それなりの理由がある。

しかし,本判決の理解するように,本条例の規定は漠然不明確ではないとい

うのであれば，その問題点は本条例の処罰範囲が広すぎるということに尽きる。そうだとすれば，解釈（縮小解釈）によって本条例の処罰範囲を適切に限定して，規制の対象とならないことを解釈上明確にすれば，国民も安心して行動できることになるのではないか。このように，法令の文言上の規制対象から，規制したら違憲となる部分を取り除くことで，その規定を合憲とする解釈の手法のことを，「**合憲限定解釈**」という。そして法秩序の統一性の観点から法令の規定は可能な限り憲法に適合するように解釈するのが望ましく，また裁判所が規定を違憲と判断するのは慎重であるべきだということからも，この手法は好んで用いられる。

　判旨①-2が行ったのは，まさにそのような合憲限定解釈であった。最高裁はまず，「暴走族」を，「本条例2条7号の定義にもかかわらず」，「暴走行為を目的として結成された集団である本来的な意味における暴走族」（本来的意味の暴走族）と，「服装，旗，言動などにおいてこのような暴走族に類似し社会通念上これと同視することができる集団」（準暴走族）に限られる，と限定的に解釈する。そして条例16条1号の名宛人として「何人も」とされているのは「暴走族」すなわち本来的暴走族と準暴走族のことだけだ，という限定解釈を行ったのである。

7　合憲限定解釈の限界

　確かにこのような二段構えの解釈によって，本条例の処罰範囲は合憲的な範囲に限定された，といえる。しかし真の問題は，このような限定解釈が許されるかどうかである。先ほど法令は可能な限り憲法に適合するように解釈すべきだ，と述べたが，それはあくまで「可能な限り」である。「合憲限定解釈」も解釈の一種だから，もしその解釈が「解釈」の名に値しない，「**解釈」としての限界**を超えるものであれば，そもそもそのような解釈は採用できない（その結果，規定を合憲限定解釈で救うことはできず，規定は違憲無効とされることになる）。最高裁判事たちの見解の対立は，本条例の規定の合憲性を維持するために先のような限定解釈を行うか（2人の補足意見を含む多数意見），逆に多数意見の合憲限定解釈は解釈の限界を超えており規定を違憲とすべきか，つまり合憲限定解

釈の限界にあったのである。

　たとえば藤田宙靖裁判官の反対意見は，通常人の読み方からすれば，「暴走族」は定義規定通り理解されるものであり，「表現の自由の規制について，最高裁判所が法令の文言とりわけ定義規定の強引な解釈を行ってまで法令の合憲性を救うことが果たして適切であるかについては，重大な疑念を抱く」と多数意見を批判している。また田原睦夫裁判官は，「『何人も』との規定を多数意見のように限定して解釈することは，通常の判断能力を有する一般人において，著しく困難であるというほかはない」として，「一旦，それが限定解釈の枠を超えて適用されると，それが違憲，無効であるとの最終判断がなされるまでの間，多くの国民（市民）は，本条例が限定解釈の枠を超えて適用される可能性があり得ると判断して行動することとなり，国民（市民）の行動に対し，強い萎縮的効果をもたらしかねない」と批判している。これらは，いずれも憲法学の一般的な考え方，つまり表現の自由を規制する法令の規定が過度に広汎である場合は，表現活動に萎縮効果をもたらすことから，無理な合憲限定解釈をするよりはむしろ規定を違憲とすべきだという考え方に近いものといえる。

　これに対して，那須弘平裁判官の補足意見は，札幌税関訴訟最高裁判決（最大判昭和59・12・12民集38巻12号1308頁）が示した，表現の自由に関する法令の規定の合憲限定解釈の限界に関する基準から，本判決の解釈も正当化できるという。その基準とは，次のようなものである。

「(1)　その解釈により，規制の対象となるものとそうでないものとが明確に区別され，かつ，合憲的に規制しうるもののみが規制の対象となることが明らかにされる場合であること。
(2)　一般国民の理解において，具体的場合に当該表現物が規制の対象となるかどうかの判断を可能ならしめるような基準をその規定から読みとることができるものであること。」

　繰り返しになるが，確かに，判旨①-2は，本来的暴走族・準暴走族による集会とそれ以外の者による集会とを区別し，しかも規制が憲法上許される前者の集会のみを対象とするから，この第1要件を満たすといえよう。問題は，第2要件が満たされるかどうかであって，まさに2人の裁判官の反対意見は，一

般国民が「何人も」という文言を「本来的暴走族及び準暴走族は」と読むことは困難だ，と批判していたのであった。これに対して那須裁判官は，条例の名称が「広島市暴走族追放条例」であることや，「暴走族」が社会通念上「オートバイなどを集団で乗り回し，無謀な運転や騒音などで周囲に迷惑を与える若者たち」を指すと理解されていることを挙げ，むしろ条例2条7号の定義規定の方が「社会通念に反する奇異なもの」だという。

　さらに堀籠幸男裁判官も，合憲限定解釈の可否について，「条例の規定についてその表現ぶりを個々別々に切り離して評価するのではなく，条例全体の規定ぶり等を見た上で，その全体的な評価をすべき」として，多数意見の合憲限定解釈を正当化している。もっとも，堀籠裁判官は，合憲限定解釈の限界を設定した札幌税関訴訟判決の基準には言及しておらず，むしろどのような解釈を採ろうとも本条例に違反することが明らかな X について，「罰則規定の不明確性，広範性を理由に被告人を無罪とすることは，国民の視点に立つと，どのように映るのであろうかとの感を抱かざるを得ない」と述べており，本件で合憲限定解釈の限界をそれほど厳しく考える必要がないと捉えているものと，推測できる。

　このように，最高裁判事たちの対立は，表現の自由を重視して合憲限定解釈の限界を厳しく捉えるのか，それとも本条例の不都合を立法技術上のミスと軽く見て，条例の全体的なしくみから解釈によって救おうとしたのか，というところにあった。本判決は，本条例の規定が過度に広汎かどうかという点に議論が集中した結果，（合憲限定）解釈に対する判事たちの態度の違いが鮮明に現れた事件として，興味深いものといえよう。

（宍戸）

第 2 節　刑法の視点から

1　はじめに

　犯罪構成要件明確性の原則あるいは，構成要件の漠然性・過度の広汎性を禁止するという理論は，刑法学においても一般的に支持されている（先駆的なのは，芝原邦爾『刑法の社会的機能』〔有斐閣，1973〕。最近の代表的教科書では，たとえば，西田・総論 59 頁）。そうしたこともあって，刑法学者の多くも，おそらくは第 1 節における宍戸さんの分析に，多くの点で共感するように思われる。

　まず，第 1 節が，漠然性と過度の広汎性とを，はっきり区別する点は，大方の支持が得られるように思われる。というのは，両者が重畳的に問題となる場合がある一方で，処罰範囲は明確であるが広すぎるという場合もある以上，両者は区別されるべきだからである。たとえば，（旧）福岡県青少年保護育成条例 10 条 1 項，16 条 1 項は，青少年との「淫行」を禁止していたが，この「淫行」を――ある意味素直に文理解釈して――青少年との性交または性交類似行為と解釈するとき，それは，概念の外延として，漠然としてはいないが，過度に広汎というべきであろう（最大判昭和 60・10・23 刑集 39 巻 6 号 413 頁〔(旧) 福岡県青少年保護育成条例事件〕参照）。民法 731 条によれば，女性は（18 歳未満の青少年である）16 歳で婚姻可能であるし，男性も 18 歳で婚姻可能であるから（注：平成 30 年 6 月に成立した成年年齢を 20 歳から 18 歳に引き下げる民法改正に伴い，女性の婚姻年齢は 18 歳に引き上げられ，男女ともに 18 歳で婚姻可能とされた。改正法は，令和 4 年 4 月 1 日に施行される），青少年の時点で，既に婚約している場合が考えられるからである。このような場合の性交または性交類似行為が処罰されるのは，明らかに適切でない。

　そのような場合に，合憲限定解釈が必要となること，かつ，それが「解釈」といえる範囲にとどまっていなければならないこと。これも，刑事法学において，一般的に受け入れられている議論であり，私自身も異論はない。そして，刑法学においても，藤田裁判官の反対意見（→第 1 節 7）と同様，平成 19 年最

判の結論に批判的な学説も確かに存在する（たとえば，今井猛嘉ほか『刑法総論（第 2 版）』〔有斐閣，2012〕24 頁〔今井〕）。

　しかし，私の感覚では，同判決は，問題はあるが，ぎりぎりセーフといったところである。さらに，本判決を引用しながら，とりたててそれに反対しない論者も見られるのである（西田・総論 61 頁）。それでは，憲法学と刑法学とで，なぜそのような温度差が生じているのだろうか。以下，若干の分析を加えたい。

2　3 つの疑問

(1)　X にとっては明確？

　私が，第 1 節を読んで感じた疑問は，3 つある。それらのうち 2 つは，根底において共通するものである。

　第 1 の疑問は，堀籠裁判官の補足意見がいうように，たとえ本件構成要件が，一般的にいえば漠然としたものだとしても，暴走族等について，どのような解釈を採ろうとも本条例に違反し，その当罰性が明らかな X について，「罰則規定の不明確性，広範性を理由に被告人を無罪とすることは，国民の視点に立つと，どのように映るのであろうかとの感を抱かざるを得ない」という点である。もし，仮に，第 1 節がいうような，広島カープファンが起訴された事案であれば，確かに，条例を違憲無効として，彼（あるいは彼女）を無罪とすることが適切であると，私も思う。しかし，かつて暴走族の構成員であり，現在，暴走族と暴力団の間をとりもっている被告人 X については，「暴走族等」という概念を，どのように解釈したとしても，それに当たることに異論はなかろう。いい換えれば，X 自身にとっては，当該条例が，自身の行為に適用されることは，極めて明らかだったのである（事実関係を見ると，X 自身，一種の確信犯であるといえよう）。それにもかかわらず，X を，当該条例が，他の人に対して違憲な適用をされる余地がある（それは，当該他人が，自分自身の裁判で争えば足りることである）ことを理由に無罪とすることが，事案の解決として適切なのだろうか？　そうした観点から見ると，(旧) 福岡県青少年保護育成条例事件の被告人の行為が，「青少年を単に自己の性的欲望を満足させるための対象として扱っているとしか認められないような性交又は性交類似行為」に該当すると

されているが，こちらの方が，条文から読み取りにくいという点でも，当罰性
——実質的な法益侵害の質——という観点からも，むしろ問題ではないだろう
か。

(2) 「過度の広汎性」という議論の射程
　第2の疑問も，第1のそれと関連する。こうした「過度の広汎性」をめぐる
議論において，表現の自由をめぐる議論が特別視されている点が，それである。
第1節において，前述した福岡県青少年保護育成条例事件等が引用されてい
ない点も，この点を裏付ける。刑法学者の多くは，「過度の広汎性」の理論は，
条文を文言通りに解釈すると，処罰範囲が広すぎるため，限定解釈の必要があ
る場合全てを含むと考えており（表現の自由が問題となる場合に限られない），そ
こでは，合憲限定解釈により処罰範囲を限定すべきか，それが許されず，違憲
無効とすべき合憲限定解釈の限界はどこにあるのかを議論している（このため，
福岡県青少年保護育成条例事件や，営業の自由に対する制約が問題となった，薬事法・
つかれず事件〔最判昭和57・9・28刑集36巻8号787頁〕なども，同じ文脈で議論さ
れている）。すなわち，「過度の広汎性」は，当該刑罰法規が予定している法益
侵害あるいはその危険が，立法論として合理的なものであるか，また，条文が
想定している事態が，そうした危険を生じさせる場合なのか，それとも形式的
にそう判断はできず，処罰範囲を限定しなければならないのか——このような
一般的な問題として理解されているのである。

(3) (1)・(2)の共通項
　第1節によれば，このような多くの刑法学者による理解は，ここで問題と
なっているのが，憲法21条1項で保障された集会・結社・表現の自由に対す
る規制である点を軽視している点で問題がある，ということになろう。すなわ
ち，(1)の疑問については，そのような漠然不明確な規定が存在すると，表現の
自由に対する萎縮効果を招くから，それが問題となった裁判において，具体的
な当罰性に関する議論から離れて，違憲無効の主張を広く認めるべきである，
(2)の疑問についても，表現の自由に対する制約とそうでない場合とでは，限定
解釈の範囲・指針が異なるというのであろう。

しかし，なぜ憲法21条1項で保障される利益が特別であり，それに対する規制だと，特別に慎重な態度がとられるべきなのであろうか。私を含め多くの刑法学者は，政治的表現については，政治部門がそれを不都合な言論として規制する可能性があるから，その点について，裁判所が厳格な判断をしなければならない，という憲法学の理論は，支持できるものと考えている（取材の自由に関するものであるが，外務省秘密電文漏えい事件については，刑法学者の多くも批判的であることを，思い出してほしい。→第3章第2節）。そのような場合には，刑法上も，違法性阻却事由の判断において，慎重な考慮がなされるべきであろう。しかし，そのことは，政治的表現以外については，特別な考慮は必要ない，ということをも意味するのではないだろうか。もっとも，第1節が指摘するように，判例においては，政治的表現に限り表現活動の規制に特別に慎重な態度が求められているわけではないと理解しうるものが存在することは確かである。たとえば，札幌税関訴訟最高裁判決（最大判昭和59・12・12民集38巻12号1308頁）は，規定の広汎性，不明確性が，表現の自由に対してもたらす萎縮効果にも言及した上で，「表現の自由を規制する法律の規定について限定解釈をすることが許されるのは，その解釈により，規制の対象となるものとそうでないものとが明確に区別され，かつ，合憲的に規制し得るもののみが規制の対象となることが明らかにされる場合でなければならず，また，一般国民の理解において，具体的場合に当該表現物が規制の対象となるかどうかの判断を可能ならしめるような基準をその規定から読みとることができるものでなければならない」と述べている。

しかしながら，その事案は，旧関税定率法10条3号およびこれを踏襲した関税定率法21条1項3号（判決当時）にいう「風俗を害すべき」という概念が，「性風俗」を害すべき，と読むことができるとして，これを合憲としたものにすぎない。多くの刑法学者は，これはあくまで合憲判決であり，その部分は傍論（第6章2）であるから，それによって，表現の自由に対する規制を，具体的に，他の人権への制約が問題となっている場合に比し，どの範囲まで広く違憲とすべきかについての指針を与えるものではないと，理解しているように思われる。

その上で，本件は，明らかに暴走族等（条文の定義によるそれではなく，最高裁の

解釈によっても，なお）による示威行為である。そのような行為について，憲法21条1項によって保障されている人権が問題となっているから，という抽象的な理由づけだけで特別視するのは，少なくとも私には，納得がいかない。そのような行為は，社会に与えるマイナス効果という点では，昭和59年最大判において規制が合憲とされた「性風俗を害する表現」以上ではないのだろうか。

　逆に，憲法21条1項で問題とされている人権以外の人権であれば「萎縮効果」を問題とする必要がない，と本当にいえるのだろうか？　先に見た，営業の自由への制約であったとしても，その処罰範囲が明確でなかったり，過度に広汎であれば，自分の行為が，犯罪構成要件に該当するか否かについて，疑問を抱いて，刑罰を科されることをおそれるゆえ（結果的には適法な）行為に出ることを差し控えるという現象は，表現の自由の場合と同様に起こりうるように思われる。

　合法・違法のコードは，本来，法律家集団の間で共有されているのが望ましく，私自身も，憲法学の議論をできるだけ参照したいと思う。しかし，この辺りは——むろん，私自身の刷り込み，偏向があるとは思うのだが——なお納得がいかない部分である。そして，それは，同時に，この点こそが，憲法学者と刑法学者とが，より踏み込んだ議論をすべき論点であるということも意味しているように思われる。

(4)　間接罰であることの意味

　第3の疑問は，本条例が，一定の行為を直ちに処罰する，いわゆる直罰規定ではなく，命令を出して，それに違反して初めて処罰を肯定できる規定（17条・19条）である点が，憲法学においては，さほど重く見られていないように思える点である。この点につき最高裁は，「規制に係る集会であっても，これを行うことを直ちに犯罪として処罰するのではなく，市長による中止命令等の対象とするにとどめ，この命令に違反した場合に初めて処罰すべきものとするという事後的かつ段階的規制によっている」と指摘している。

　こうした制度であれば，いわばワンクッション置くことで，ひとたび命令が出されれば，人は，自らの行為が，処罰の対象となるか否かについて，十分判断が可能となる。この点は，合憲性を肯定する方向に働かないのだろうか。

もちろん，このような理解に対しては，刑罰の適用にのみ着眼する刑法学が視野狭窄であり，そうした「命令」が出されること自体が，人権制約であるから，あくまで命令発動の要件が，どのようなものであるかを重視すべきだ，という理解もありうる。しかし，命令を出されることと，処罰されることとの間には，その効果に大きな差がある以上，——刑事法も含めた，広義の——公法において妥当すべき，**比例原則**（→第9章第2節10）の観点からしても，直罰なのか，間接罰なのか，という法形式の差異は，なお無視できない重みがあるのではないだろうか。

3　おわりに

　刑法学においては，本条例の立法技術がきわめて未熟であることに，ある種のいら立ちを感じつつも，本件において無罪とすべきことへの抵抗感と条例においてなされているそれなりの配慮を踏まえ本条例をかろうじて合憲とする議論が一般的であった。それはなぜかを明らかにすること，そして，そのような議論と憲法学における議論とに温度差があることの背景を，できるかぎり言語化すること，以上が本節の目的であった。

　さらにいえば，ことがあくまで一国の法秩序に関わる以上，そうした温度差は本来，可能な限り解消されるべきであろう。

　読者の皆さんは，もはや，法解釈「入門」というレベルを超えた議論に接していらっしゃることに気づかれただろうか。本書は，そうしたところから出発し，法解釈学において，専門家の間で——とりわけその基本的作法が異なる専門家の間で——具体的な結論のみならず，そこに至る思考過程が異なる重要問題について，その思考過程の相違を，明らかにしようと試みた。これが，皆さんにとって，何らかの意味で参考になれば，心から嬉しく思う。

（島田）

第11章

立川テント村事件
——刑法と憲法の視点から——

第1節　刑法の視点から

1　事実の概要

　本章でも，複数の法領域にまたがる問題を取り上げる。それは立川テント村事件（最判平成20・4・11刑集62巻5号1217頁）である。

　まずは，事案を見よう。この事件は，被告人らが，自衛隊のイラク派遣を非難する旨のビラを陸上自衛隊立川宿舎の各号棟の各室玄関新聞受けに投函する目的で，立川宿舎の敷地内に入り込み，各号棟の1階出入口から各室玄関前まで立ち入った行為が，刑法130条前段の罪（住居侵入罪）に該当するか否かが，争われた事案である（条文も見よう。130条前段によれば，正当な理由がないのに，「人の住居若しくは人の看守する邸宅，建造物，建造物若しくは艦船」に，「侵入し」た場合に罪が成立する）。

　この立川宿舎は，防衛庁の職員およびその家族が居住するための国が設置する宿舎であり，本件当時，1号棟から8号棟までは，ほぼ全室に居住者が入居していた。国家公務員宿舎法，同法施行令等により，敷地および5号棟から8号棟までは陸上自衛隊東立川駐屯地業務隊長の管理，1号棟から4号棟までは航空自衛隊第1補給処立川支処長の管理となっており，9号棟，10号棟は防衛庁契約本部または同庁技術研究本部第3研究所の管理下にあった。

　被告人3名は，共謀の上，テント村の活動の一環として，「自衛官・ご家族の皆さんへ　自衛隊のイラク派兵反対！　いっしょに考え，反対の声をあげよう！」等記載された，A4判大のビラを，立川宿舎の各号棟の各室玄関ドアの

新聞受けに投函する目的で，2004（平成16）年1月から2月にかけ2度にわたり，各室玄関前まで立ち入り，各室玄関ドアの新聞受けに上記ビラを投函するなどした。

2　最高裁の判断について

このような事実関係を前提にした上で，最高裁は，以下の3点に判断を加えた。①本件の客体が130条前段の客体（住居・邸宅・建造物・艦船）のうち，いずれに当たるか（それとも当たらないか），②本件行為が，「侵入」に当たるか，その判断に当たって，誰の意思が問題とされるべきか，③本件行為を処罰することが憲法21条に違反しないかが，それである。以下，それぞれについて必要な限度で，1・2審判決とも対比しながら，検討を加えよう。

まず①については，厳密にいえば，さらに本件の客体を①-1建物の共用部分，①-2敷地部分に分けることができるが，最高裁は，両者について，次のように述べている。

「立川宿舎の各号棟の構造及び出入口の状況，その敷地と周辺土地や道路との囲障等の状況，その管理の状況等によれば，各号棟の1階出入口から各室玄関前までの部分は，居住用の建物である宿舎の各号棟の建物の一部であり，宿舎管理者の管理に係るものであるから，居住用の建物の一部として刑法130条にいう『人の看守する邸宅』に当たるものと解され，また，各号棟の敷地のうち建築物が建築されている部分を除く部分は，各号棟の建物に接してその周辺に存在し，かつ，管理者が外部との境界に門塀等の囲障を設置することにより，これが各号棟の建物の付属地として建物利用のために供されるものであることを明示していると認められるから，上記部分は，『人の看守する邸宅』の囲にょう地として，邸宅侵入罪の客体になるものというべきである（最高裁昭和49年（あ）第736号同51年3月4日第一小法廷判決・刑集30巻2号79頁参照）。」

なお，ここで引用されている昭和51年最判は，「建造物」の囲繞地，すなわ

ち「建物に接してその周辺に存在し，かつ，管理者が外部との境界に門塀等の囲障を設置することにより，建物の附属地として，建物利用のために供されるものであることが明示」された土地は，「右部分への侵入によって建造物自体への侵入若しくはこれに準ずる程度に建造物利用の平穏が害され又は脅かされる」ことから，「建造物」に当たるとした判例である。

　当然のことであるが，共同住宅の各戸については，それぞれの住人の「住居」であり，犯罪の成否に当たっても，住人の意思が基準とされるべきことに異論はない。しかし，共用部分あるいはその囲繞地については，これまで，判例理論が必ずしも明らかでなく（たとえば１審判決〔東京地八王子支判平成16・12・16刑集62巻5号1337頁〕は，これを住居としていた），学説も多岐にわたっていた（たとえば，関哲夫『続々・住居侵入罪の研究』〔成文堂，2012〕11-60頁には，代表的な５つの学説が紹介されている）。そうした中で，本判決は，本件のような共用部分，囲繞地が「**邸宅**」に当たるとした。多くの刑法学者は，この判断には重要な意義があると考えている（なお，建造物の囲繞地については，130条前段の罪は成立せず，軽犯罪法１条32号の罪に当たるにすぎない，という説もあるが〔松宮孝明『刑法各論講義（第５版）』（成文堂，2018）135頁〕，そうした解釈は，既に，前掲昭和51年最判において，否定されている）。

　「邸宅であれ，住居であれ，いずれにしても，130条前段の客体なのだから，大した違いはないのでは？」と思われた人もいるかもしれないが，そうではない。両者は，２つの点で有意な差がある。

　１つは，「邸宅」については，「**人の看守する**」という要件が付加されている点である。邸宅とは，「居住用の建物で，住居以外のもの（居住者のいない空き家，閉鎖中の別荘など）」を指す（山口・各論121頁）。住居，すなわち「人の起臥寝食に使用される場所」（団藤重光『刑法綱要各論（第３版）』〔創文社，1990〕503頁）あるいは「人の日常生活に利用される場所」（山口・各論120頁）であれば，住居権あるいはその平穏を保護する必要が類型的に高いため，「看守」の有無にかかわらず，保護の対象となる。そうでない場合には，「看守」すなわち「建物などを事実上管理・支配するための人的・物的設備」が施されていることが（山口・各論122頁），必要なのである。本判決は，本件共用部分を，後者と解した。また，本判決は，同時に，本件のような管理・支配——具体的には

開口部があっても関係者以外立入り禁止の掲示があるフェンスに囲まれていたこと――があれば,「看守」を認めた事例判断としても意味がある(この結論を支持するのが,多数説であるが,立入り禁止措置が実効性を欠いていたことを理由に反対する学説もある〔曽根威彦「ポスティングと刑事制裁」研修701号〔2006〕5頁〕)。

　もう1つは,この解釈は,②において,**誰の意思が基準となるか**,という点にも影響するということである。すなわち,これを「住居」と理解した場合には,居住者あるいは居住者の意思を代表する者の意思が基準となるのに対し,「管理する邸宅」であれば,一般に管理権者の意思が問題とされる,ということである。

　本判決が,これを邸宅とした理由について,調査官は次のように説明している。すなわち,賃貸の集合住宅の場合,建ち上がってまだ誰にも貸し出されていない場合は,全体が邸宅に当たるが,貸し渡されて人が住み始めると,各号室等は住居となる。しかし,階段や通路といった共用部分については,「あくまでそれらが共用の部分であることからすると,その管理権を各号室の居住者に渡してしまうというのが合理的な意思解釈とは思われない」(山口裕之・平成20年度最判解刑事篇241頁)。このような解釈は,(先に見たように異論もあるものの)刑法学においても,大方の支持を得ているように思われる(たとえば,山口・各論121頁,西田・各論111頁)。

　このような解釈からは,本件共用部分は「邸宅」ということになる。そして,先に見た,本判決が引用している,昭和51年最判は,建物の囲繞地も「人の看守する建造物」に当たるとしたものであるから,それに従えば,その囲繞地である敷地も,邸宅の囲繞地として,邸宅とされることになるのである(なお,このように考えると一軒家の敷地は,住居とされることとなろう〔山口〔裕〕・前掲245頁〕)。

3　侵入概念と被害者の意思

　「意思に反する」と述べたが,侵入をそのように解釈するのは,②について一定の立場を前提としている。実は,「侵入」の意義については,学説上,対立がある。具体的にいえば,それを「住居権者(あるいは管理権者)の意思に反

する立入り」とする見解（許諾権説）と，「住居の平穏を害する立入り」とする見解（平穏説）とが，いずれも有力に主張されているのである（議論の状況については，たとえば，山口厚『問題探究刑法各論』〔有斐閣，1999〕67 頁以下）。

とはいえ，判例（最判昭和 58・4・8 刑集 37 巻 3 号 215 頁）は，夜間，労働争議関係のビラ貼り目的で，郵便局内に立ち入った事案で，侵入とは「管理権者の意思に反して立ち入ること」として，前者の立場を採用することを明言している。

本判決（立川テント村事件）も，同判決を引用し，次のように述べた。「刑法 130 条前段にいう『侵入し』とは，他人の看守する邸宅等に管理権者の意思に反して立ち入ることをいうものであるところ（最高裁昭和 55 年（あ）第 906 号同 58 年 4 月 8 日第二小法廷判決・刑集 37 巻 3 号 215 頁参照），立川宿舎の管理権者は……〔前述〕のとおりであり，被告人らの立入りがこれらの管理権者の意思に反するものであったことは，〔前述〕の事実関係から明らかである」。

この判断に対しては，平穏説の立場からの異論はあるが，それは，判例に対して，いわば外在的な批判を向けるものにすぎない。許諾権説の多くは，この判断を支持している（たとえば，西田・各論 110 頁）。

ただし，許諾権説を採用する論者全てが，このような見解というわけではない。次のような見解も有力である。「集合住宅については，保護の本来の対象はあくまでも各戸の居住者の個別的意思であって，その限りで看守者の意思は一定の制約を受ける……最終的な住居権は各戸の居住者に独立して認められるのであって，管理権者は単にその付託を受けているに過ぎない」（曽根・前掲 5-6 頁）。

鋭い指摘であるが，疑問もある。まず，この見解は「各戸の居住者」の意思が対立した場合の処理に明確性を欠く。たとえば，居住者 A は被告人の立入りを許容していたが，B はそうではなかった，という場合を考えてみよう。この場合，いずれの意思を重視すべきかは，なお明らかでない。

さらにいえば，本判決のような「管理権者」に公的性格が認められるような場合には，各戸居住者の意思から独立した独自の判断を認めることができるだろう。そう考えると，このような見解には，やはり疑問が残る（山口〔裕〕・前掲 254 頁参照）。

もっとも，後者の点は，逆にいえば，管理権者の意思が，各戸居住者の意思の最大公約数と見うる場合には，各居住者の意思から独立した「管理権者」独自の判断という考え方が妥当しないということをも意味する。本判決後，被告人が，政党の主張を記載したビラをマンション各戸のポストに投函する目的で，分譲マンションの共用部分に立ち入った本件とは別の事案で，最高裁は，本件とは異なり，客体を「邸宅」であると明示せず，次のような判断をしている。「本件マンションの構造及び管理状況，玄関ホール内の状況，上記はり紙の記載内容，本件立入りの目的などからみて，本件立入り行為が本件管理組合の意思に反するものであることは明らかであり，被告人もこれを認識していたものと認められる。そして，本件マンションは分譲マンションであり，本件立入り行為の態様は玄関内東側ドアを開けて7階から3階までの本件マンションの廊下等に立ち入ったというものであることなどに照らすと，法益侵害の程度が極めて軽微なものであったということはできず，他に犯罪の成立を阻却すべき事情は認められないから，本件立入り行為について刑法130条前段の罪が成立するというべきである」というのである（最判平成21・11・30刑集63巻9号1765頁）。

　自衛隊立川駐屯地や社宅などでは，建物共用部分・敷地の管理権は，本来，それらの管理者にあり，そのうち「住居」に当たる部分のみ，各戸の居住者に管理・許諾権が移るという関係にある。このため，そうした場合には，残された共用部分は，なお管理権者の許諾権に服する。しかし，この平成21年最判のような分譲マンションでは，建物共用部分・敷地部分の管理権も含め，居住者に譲渡されるのであるから，仮に，管理権者の意思を問題としたとしても，そうした部分の管理については，居住者の意思を代表する「管理組合」の意思を基準とすべきである。平成21年最判の，このような判断は，**本判決の射程**を，明らかにするものということができるだろう。

　なお，仮に，先に見た一般論を前提としたとしても，本件においては，居住者がこのような被告人らの行為を容認していなかったことにも，注意が必要である。具体的には，2004（平成16）年1月17日午前11時45分頃，341号室の居住者は，被告人らにビラの投函をしないように注意しているし，また541号室の住人も，被告人らに対して，こんなことはしないでくれ，不法侵入になる

などといって，ビラの回収を求めているのである（山口〔裕〕・前掲 220-221 頁）。

4 憲法論と違法阻却

(1) 可罰的違法性

　このように，本件については，「侵入」に該当すると考える刑法学者が，多数であるように思われる。もっとも，そのように考えたとしても，違法性阻却の余地は残る。現に，1審判決は，「ビラの投函自体は，憲法21条1項の保障する政治的表現活動の一態様であり……商業的宣伝ビラの投函に比して，いわゆる優越的地位が認められている……被告人らの各立ち入り行為につき，従前長きにわたり同種の行為を不問に付してきた経緯がありながら，防衛庁ないし自衛隊又は警察から……正式な抗議や警告といった事前連絡なしに，いきなり検挙して刑事責任を問うことは，憲法21条1項の趣旨に照らして疑問の余地なしとしない」として，被告人らが立川宿舎に立ち入った行為について「法秩序全体の見地からして，刑事罰に処するに値する程度の違法性があるものとは認められない」としていたのであった。

　以上のような1審判決の基礎には，いわゆる「可罰的違法性」の考え方があるものと思われる。可罰的違法性論とは，犯罪の成立要件である違法性は，刑事罰を科すに値する程度の質・量を備えたものでなければならないとする考え方をいう。これによれば，ある行為によって，当該刑罰法規が規定する法益侵害・危険が惹起されても，それが絶対的に，あるいはその行為によって実現された積極的価値との衡量の結果として相対的に，軽微であると判断される場合には，犯罪の成立が否定されることになる。たとえば，スリがポケットから盗んだ物が，ティッシュペーパー1枚であったとき，それは窃盗罪の客体である「財物」には当たらないから窃盗は未遂にとどまるというような解釈がなされるが，その根底にもこのような考え方があるといえよう。

　しかし，以上のような考え方に立つとしても，1審判決にはやはり無理があるように思われる。本件は，ビラ投函行為それ自体ではなく，あくまで管理権者の意思に反して邸宅に侵入する行為を処罰すべきか否かが問題とされている。このように，いわば，憲法上の権利の行使に随伴して行われる行為が構成要件

に該当する場合について、判例は次のように述べている。「当該行為の具体的状況その他諸般の事情を考慮に入れ、それが法秩序全体の見地から許容されるべきものであるか否か」、と（最大判昭和48・4・25刑集27巻3号418頁）。

そのような前提のもとでは、本判決がいうように、「このような場所に管理権者の意思に反して立ち入ることは、管理権者の管理権を侵害するのみならず、そこで私的生活を営む者の私生活の平穏を侵害するものといわざるを得ない」というのであれば、可罰的違法性を否定するのは困難であろう。すなわち、本件ビラ投函行為に政治的表現としての優越的地位に基づく価値があるとしても、その価値は居住者の私生活の平穏を侵害するという点で減殺されざるをえない。一般に、可罰的違法性が否定されるのは、その構成要件が予定している法定刑の下限を科しても、なお厳しすぎる場合と理解されている。本件では、確かに、被告人に科された刑罰は、罰金10万円あるいは20万円という比較的低い罰金刑ではあるが、本件が罰金刑の下限である1万円を科すにすら値しない事案とは、いいがたいように思われる。

なお、本判決も引用している最判昭和59年12月18日（刑集38巻12号3026頁）は、吉祥寺駅構内で、ビラを配り、演説をしていた被告人が退去要求を受けたがそれを無視して滞留していた事案で、鉄道営業法違反の罪および不退去罪を認めている。同判決には、道路、公園等一定の公的施設は、パブリック・フォーラムとして、そうした場が表現活動に用いられる場合には、表現の自由の保障に可能な限り配慮すべきとする伊藤正己裁判官の補足意見があるが、同意見も「本件においては、原判決及びその是認する第1審判決の認定するところによれば、被告人らの所為が行われたのは、駅舎の一部であり、パブリック・フォーラムたる性質は必ずしも強くなく、むしろ鉄道利用者など一般公衆の通行が支障なく行われるために駅長のもつ管理権が広く認められるべき場所であるといわざるをえず」としている。駅舎すら、パブリック・フォーラムというべきではないのだとすれば、まして、個人の私生活の場である宿舎については、到底そのようにいうことはできず、意思に反した立ち入りについては、刑法130条の罪が成立するというべきではないだろうか。本判決が「私的生活を営む者の私生活の平穏を侵害」を指摘したのは、このような観点から理解できる。

(2) 外務省秘密電文漏えいとの関係？

　ここまで読まれて，もし次のような疑問を抱かれた方がいらっしゃれば，私はとてもうれしい。「あれ？　さっきの侵入概念で，保護法益は，被害者の許諾権とされたはず。それなのに，判例からは，保護法益ではないはずの『私生活の平穏』を考慮していいの？　外務省秘密電文漏えいと同じ問題がある気がする（→第3章第2節）」。

　非常に鋭い意見ではあるが，私は，これは質的に異なる話だと考えている。つまり，外務省秘密電文漏えい事件における保護法益は，国家の秘密であり，それと女性の人格の尊厳とは，関連性がない。これに対し，本件でいわれている「私生活の平穏」は，許諾権が保護に値することの実質的な裏づけといえる。すなわち，単に管理者の意思を侵害する行為というにとどまらず，それが実質的にも保護に値することを示す趣旨と理解できるのである。

　外務省秘密電文漏えい事件に反対する刑法学者（おそらくは，それが多数であろう）が，本件について取り立てて異論を唱えていないのは，こうした理由によるものと推測できる。

(3) 均衡論と，それに対する違和感

　可罰的違法性論との関係で，本件については①一戸建ての家の，路上に面した郵便受けにビラを投函する場合に犯罪が成立しないこととの均衡から無罪とすべきであるという議論や，②一般に商業ビラの投函目的での立入りが，本罪として処罰されてこなかったこととの均衡論から，無罪とすべきことが説かれる場合がある（上告趣意でも，そのような主張がなされている）。

　しかし，①のような行為は，そもそも「侵入」という構成要件に当たらないのだから，それとの均衡論を問題とするのは，不自然である。調査官解説でもいわれているように，郵便受け等がどこに設置されているかによって本罪の成否が異なるのは，「投かんのために住居等に立ち入ることになるのかどうかが変わるからであって，そのこと自体何ら不合理なことではない」（山口〔裕〕・前掲書255頁）。本件は，ビラ投函行為が処罰の対象なのではなく，あくまで「表現の手段すなわちビラの配布のために『人の看守する邸宅』に管理権者の承諾なく立ち入ったことを処罰する」ことが問題とされているのである。

なお，本判決が引用する最大判昭和43年12月18日（刑集22巻13号1549頁）は，被告人らが橋柱，電柱等にビラを貼りつけた行為が，大阪市屋外広告物条例1条に違反するとされて起訴された事案で，同条例は「公共の福祉のため，表現の自由に対し許された必要且つ合理的な制限と解することができる」としたものである。また，やはり本判決が引用する最大判昭和45年6月17日（刑集24巻6号280頁）は，はり札行為を処罰する軽犯罪法1条33号が「公共の福祉のため，表現の自由に対し許された必要かつ合理的な制限」としたものである。表現内容それ自体に対する規制ではなく，その手段が犯罪行為に該当する場合についてのこうした判例理論からすれば，本件の結論は，ごく自然なものに思われる。

　また，②については，そもそもその前提に疑問がある。原判決もいうように，「禁止事項表示板・表示物の記載文言からすると，少なくとも商業的宣伝ビラ等を投函するための立入りはこれを許さない趣旨」（東京高判平成17・12・9刑集62巻5号1389頁参照）というべきであろう。実際，いわゆるピンクビラ，ピンクチラシ配布目的での立入りは，これまでも本罪で起訴され，有罪とされてきた（山口〔裕〕・前掲272頁）のであり，その結論が特に奇異とは思えない。

　なお，前掲平成21年11月30日最判は，犯罪を構成する事実として，「玄関内東側ドアを開けて7階から3階までの本件マンションの廊下等に立ち入った」と認定しているが，これは，玄関内ドアに至る前の立入り（多くのマンションでは，この部分に共用ポストが設置されている）については，犯罪を構成しないものとする趣旨とも理解できる。その意味で，判例も，表現の自由の行使に一定の配慮はしており，ただ，侵入の程度，態様によっては，その限界を超えたと評価していると評価すべきであろう。

　一刑法学者として，以上のような思考を巡らせるとき，本判決は，従来の判例理論に照らせば，ごく常識的な判断を行ったにすぎないように思える（むろん，私見であり，全ての刑法学者が，そのように考えるという趣旨ではない）。

　もっとも，先に見たような表現の自由を行使する際の手段が犯罪構成要件に該当する場合についての判例理論が，それ自体として適切かについては，なお議論の余地があるかもしれない。法制度は，それぞれ関連しているから，本来，ある分野の専門家であっても，別の分野の議論についてゼロから考えなければ

いけないはずなのだが，他分野については，どうしても，判例理論をベースラインとしがちになる。この解説においても，憲法学に関して，そのような傾向があることは否定できない。

　では，憲法学の専門家には，本件はどのように映るのだろうか？　次のページを開けて，宍戸さんの解説を読まれて欲しい。

（島田）

第2節　憲法の視点から

1　本件の背景

　第1節で島田さんの提示した，立川テント村事件判決の解説，とりわけ「邸宅」の意義（→2）や侵入や被害者の意思の分析（→3）などは，きわめて精密で説得力がある。最初から白旗を揚げるようだけれども，率直にいって私自身，通常の解釈論としてこの判決に向き合おうとする限り，被告人の立入り行為が刑法130条により処罰されてもやむをえないのではないか……という思いを強くさせられた。おそらく読者の皆さんもそうだろう。

　これに対して，憲法学者の（おそらく）多くは，この判決には表現の自由の観点から見て大きな問題がある，となお考えている（佐藤幸治『日本国憲法論』〔成文堂，2011〕272-273頁）。そうした問題意識を，刑法解釈論と対話可能な形で説明するのは難しいけれども，この節ではあえてそれを試みようと思う。

　まず言及したいのは，この立川テント村事件がいかなる社会的な背景，文脈にあるか，ということである。1990年代後半より，それまでの防犯対策を越えて，治安が悪化しているという認識のもと，「**安全・安心**」を実現するための広汎な取組みが社会の各分野で進められるようになった，といわれている。こうした取組みの中には，路上への防犯カメラの設置や，急速に発展するインターネットで生じるさまざまな問題への**公私協働**での対応などが含まれている。こうした取組みは，より「安全・安心」な暮らしを求める市民の正当な願いに応えるものである。しかしそれは他面で，市民生活への公権力の広汎な干渉，とりわけ自由の制限をもたらしている，という「**監視社会論**」からの批判も根強く存在している。住居の平穏や管理権と表現の自由とが鋭く対立した今回の事件は，そうした一面があることは確かだ。

　そしてこの事件のもう1つの側面（論者によっては同じ事柄をいい換えたということになるが）は，この事件が**政治的表現の自由**に関わるということである。1審判決の認定によれば，被告人の属する「立川テント村」は「自衛隊解体」を

掲げて立川基地反対，反戦平和を主要な課題とし，デモや基地の監視，ビラ配布による情報宣伝活動等を行う団体であり，被告人はまさに自衛隊のイラク派遣（2003〔平成15〕年12月）への反対活動の一環として，同年10月から翌年2月までの5回にわたり，自衛官の宿舎に立ち入ってビラを投函した。このうち1月と2月の2回の立入り行為が処罰の対象とされたのであるが，管理人側が12月以降，「ビラ貼り・配り等の宣伝活動」を禁止する貼り紙を宿舎内に掲示したものの，管理人等から注意を受けたのは1月の立入り行為からであり（→第1節3），被告人側は団体への直接の抗議がないとして活動を継続していたところ，実は2003年12月の段階で防衛庁側から警察に対して被害届が出されており，2月の立入り後に，突然被告人の逮捕，自宅等の捜索がなされ，しかも被告人は75日間の長期にわたって勾留された。

　こうした異常な事件の経緯を見ると，やはり本件が自衛隊の宿舎に対する直接の反戦活動であったからこそ，狙い撃ち的に捜査および処罰がなされたのではないか，という疑念が，どうしても残ってしまうだろう。この点について，第1節では，本件の管理人による掲示が商業ビラの投函行為も禁止する趣旨と解される点，またピンクビラ配布目的での立入りもこれまで処罰されてきたという点が指摘されている。しかし問題は，では本件程度の態様での通常の商業ビラ配布のための立入り行為でも，本当にここまでの対応や捜査をするだろうか，現にしているだろうか，ということである。むしろこの時期には，既に第1節で取り上げられた，同じく政治的ビラ配布のための立入り行為が処罰された最判平成21年11月30日（刑集63巻9号1765頁）をはじめ，公務員が勤務時間外にビラを配布した行為が国家公務員法に違反するとして起訴された最判平成24年12月7日（刑集66巻12号1337頁）等の，似たような事件が起きている。こうした市民の政治活動に対する警察の活動（普通の刑事警察との対比で「公安警察」等と呼ばれる）のあり方は，東京大学の構内に警察官が無断で立ち入って情報収集活動をしていたことが明らかになった東大ポポロ事件（最大判昭和38・5・22刑集17巻4号370頁）をはじめとして，長く問題視されてきたものである。憲法学者が，おそらくは普通の法律家から見て過剰といえるほどに敏感に，この立川テント村事件に反応するのも，こうした古くからの問題が「安全・安心」という新しい装いで現れた，という関心がある，ということ

である。

2　なぜ憲法学が表現の自由の制限を特別視するのか？

　こうした背景があるからといって，だから理屈抜きで本件被告人が無罪であるべきだ，ということには当然ならない。ここが，政治的な議論と法律論の最大の違いである。こうした多くの憲法学者の問題関心を共有するとしても，憲法を含む現行法秩序を前提にして，本件被告人に無罪の可能性を開く解釈論が，実際に組み立てられるだろうか？

　もちろんそれは，刑法130条による本件処罰が表現の自由を侵害しており違憲であることを核心とする。しかし本件で問題になるタイプの規制（表現内容中立規制。すぐ後で説明する）に対しては，既に第1節4が詳しく解説している通り，判例は繰り返し合憲判断を示してきた。繰り返しになるが，公道上のビラ貼りに対する屋外広告物条例や軽犯罪法による規制は「公共の福祉のため，表現の自由に対し許された必要かつ合理的な制限」（最大判昭和43・12・18刑集22巻13号1549頁，最大判昭和45・6・17刑集24巻6号280頁）であり，また鉄道営業法による駅構内でのビラ配布は「たとえ思想を外部に発表するための手段であっても，その手段が他人の財産権，管理権を不当に害するごときものは許されない」として処罰されている（最判昭和59・12・18刑集38巻12号3026頁）。この昭和59年最判は，管理権と表現の自由の対立について管理権に軍配を上げたという点で，本判決の直接の先例といえる。

　このように，これまでの判例法理を前提に考えれば，第1節でも強調されている通り，本件被告人の有罪という結論は動かないだろう。これに対して憲法学者の世界では，このタイプの規制の合憲性は，判例よりも厳格に判断すべきだと考えられてきた。それは，島田さんが前に提起した（→第10章第2節2），なぜ表現の自由だけを特別扱いするのか？　という問題と密接に関わっている。既に第9章第2節で触れた通り，表現の自由の規制は，経済的自由の規制よりも厳格にその合憲性を判断すべきだ，という**二重の基準論**は，憲法学界における不動の通説といってもよい。その理由づけは理論的に諸々あるのだが，特に本件に則して具体的にいうと，次のように説明できる。表現の自由と

は，個人が「自分がこう思う」という意見を表明する自由である。私たちの社会は，まさに個人からなる社会だから，全員の意見が一致することなど，ありえない。表現の自由が保障されるということは，他人が自分の気にくわない意見を表明することを我慢しなければならない，ということを意味する。その意見の内容が（政治的なものであれ何であれ）良くないから規制する，という規制（表現内容規制）が特に許されず，「明白かつ現在の危険」等の厳格な審査基準でその合憲性を判断すべきだ，とされるのはそのためである。

とはいえ，本件やその先例とされた事件で問題になった規制のタイプは，この表現内容に着目した規制ではない。本件で刑法130条を適用することが表現活動に対して持っている具体的意味とは，反戦活動それ自体を禁止しているわけではありません，ただ宿舎に立ち入ってまでビラ配布という表現活動をしないでください，ということである。このような規制は，**表現の時・所・方法の規制**ないし**表現内容中立規制**と呼ばれている。いい換えれば，たとえば宿舎外で表現するという方法が残されているのである。判例が「たとえ思想を外部に発表するための手段であっても，その手段が他人の財産権，管理権を不当に害するごときものは許されない」と述べているのも，他の手段で表現できるでしょう，財産権・管理権を不当に害する方法はダメですよ，ということと理解できる。より一般化していえば，表現内容中立規制の合憲性を緩やかに認めるのが判例の立場だ，といえる（第10章では触れなかったが，広島市暴走族追放条例事件判決も，その1つである。この点は第10章第2節2(4)も参照）。しかし，既に述べた通り，それではダメだ，より厳格に合憲性を判断すべきだというのが憲法学者の立場である。なぜそうなのか。

第1の理由は，表現内容中立規制も，意見が流れるチャンネルを封じ，意見の量を減少させるという点で変わりがない，ということである。社会公共の事柄について自由に意見が表明されること，本件についていえば自衛隊のイラク派遣に対する賛成の主張も反対の主張も豊かになされることが民主主義社会として望ましく，そうであるがゆえに表現の自由が保障されているのだ，という考えである。

第2の理由はもう少し実質的である。「メディアはメッセージだ」という有名なことばがあるが，意見のあり方や内容によっては，特定のチャンネルが死

活的に重要な場合がある。本件はある意味でその場合に当たる。自衛隊のイラク派遣に反対している人にとっては，まさしく自衛隊員やその家族にダイレクトに訴えかけることに，特段の意味がある。そうであるとすれば，足早に通りすぎられそうな路上での活動ではなく，直接に家のポストまでビラを投函した方が，より確実に意見を伝えやすい。逆にいえば，本件の規制は，表現内容中立規制に見えて，表現をする国民の側にとって，表現内容規制に等しい意味を持っている。

第3の理由は，一転して規制する公権力の側に焦点を当てる。気にくわない意見だからといって規制してはいけない，というのが表現内容規制の問題点であった。これに対して表現内容中立規制は，等しく中立的に執行される限りで，こうした問題を生じさせない。しかしその規制が，表現の内容によって選別的に執行されたりされなかったりする場合はどうだろうか。実際には，表現内容中立規制の仮面に隠れて，気にくわない意見を抑圧しているのではないだろうか。本件でいえば，商業ビラ配布のための立入り行為や，その他表現活動でない立入り行為全般に対して，本当に等しく刑法130条が執行されているのか，むしろ政治的表現活動だから，反戦活動だから，被害届がなされ過剰な捜査と処罰が行われているのではないか，という疑問である。

3　可罰的違法性，適用違憲，憲法適合的解釈

ここで勘違いしないでいただきたいのは，いま3つ挙げた理由は「だから本件被告人は無罪であるべきだ」「だからみんな，ビラをポストに投函されるために立入りを我慢しなければいけないのだ」「だから表現の自由は財産権・管理権よりも強いんだ」という議論ではない，ということである。いかに表現活動といえども，自ずと限界はある。そのことを否定する憲法学者は（おそらく）いない。表現を受け取る（受け取らされる）側の個人にも，自分の意見がある。それは，自分の意見に反する意見を強制的に受け取らされない自由があることも，意味する。具体的にいえば，何度警告しても，生活の平穏を著しく害するような形で，しかも不快で価値のない表現活動のための立入りについてまで，刑法130条を適用するのが違憲となるのは，おかしいはずである。

ポイントは，こうした表現を受け取らない自由があるとして，それは表現を伝える自由と対等に考えるべきではないか，ということである。この2つの自由は，多様な意見を持つ多様な個人からなる民主主義社会の根幹であり，それが対立した場合に，微妙な調整を要する。それが一方に著しく偏ってはならない。より一般的にいえば，表現内容中立規制だからといって，それが緩やかに合憲だと判断されてはならない。裁判所は，両者が適切に調整されているか，とりわけ公権力が気にくわない意見を規制するための口実ではなく，真に表現を受け取らない自由を確保するための必要な規制かどうか，ということを，慎重に判断すべきである。表現内容中立規制について，厳格でも緩やかでもない，中間審査基準で判断すべきだと多くの憲法学者が説くのは，こうした思考が背後にあるのである。

　こうした観点から改めて本判決を振り返ってみよう。及び腰で恐縮だが，私が本判決に不満があるとすれば，それは結論でも，また邸宅や侵入の意義などに関する精緻な解釈論に対してでもない。その外側の事情，つまり本件被告人の行為が表現活動のためになされたものであり，表現の自由の保障が及ぶという可能性を，あらかじめ解釈論から排除しているという構造なのである。

　1審判決は，**可罰的違法性論**という刑法解釈論の枠内で，まさに被告人の行為の表現の自由としての価値と，居住者・管理者の法益とを個別具体的に衡量しようと試みたものということができよう。しかしこのような議論が，第1節が指摘する通りに，違法性阻却判断としての可罰的違法性として荷が重いとすれば，残る可能性は，次の2つである。

　第1は，緻密に構築された犯罪論体系の外側で，憲法論固有の戦場を設定することである。既に島田さんが着目した，昭和59年最判における伊藤正己裁判官の補足意見は，まさにその代表例として知られている。同裁判官は，パブリック・フォーラム論の前段階として，「形式的に刑罰法規に該当する行為は直ちに不当な侵害になると解するのは適当ではなく，そこでは，憲法の保障する表現の自由の価値を十分に考慮したうえで，それにもかかわらず表現の自由の行使が不当とされる場合に限って，これを当該刑罰法規によって処罰しても憲法に違反することにならないと解される」と述べていた。立川テント村事件で問題になった被告人の立ち入った場所は，もちろん道路・公園等の**パブリッ**

ク・フォーラムそのものではない。しかし，なお「表現の自由の価値を十分に考慮」した上で，本件被告人に対して刑法130条の適用が違憲にならないか，慎重に検討する余地はあったのではなかろうか。なお最高裁調査官による平成21年最判（→第1節3）の解説が，まさにこうした思考から，刑法130条が**適用上違憲**となる可能性を検討している点は，注目されるところである（西野吾一・ジュリ1433号〔2011〕117頁）。

　この第1の戦略は憲法が刑法に遠距離恋愛を申し出るようなものだが，もう少し親密に，刑法の家に同居させてもらう方法がある。どうやら可罰的違法性という部屋は狭いようなので，今度は構成要件論という大部屋に住まわせてもらえないだろうか。構成要件的行為ないし法益の段階で，管理権の「不当な」侵害といえるかどうかの中に，表現の自由と財産権・管理権の間を適切に調整する解釈論を探るのである。具体的には，管理権者の意思がどこまで保護に値するかを，表現の自由と衡量しながら枠づけることになろう。

　これはいかにも「押しかけ同居人」の勝手な言い分（まさしく「住居侵入」？）に見えるかもしれないが，判例の中に例がないことではない。先に，本件と時期を同じくして公務員の政治的行為が問題になった平成24年最判を挙げたが，この判決は，表現の自由の重要性を考慮しながら，「政治的行為」という国公法上の構成要件を，「公務員の職務の遂行の政治的中立性を損なうおそれが，観念的なものにとどまらず，現実的に起こり得るものとして実質的に認められるもの」と限定的に解釈した。これは，前章で問題とした合憲限定解釈という特殊な手法というよりも，憲法を含む法体系全体から解釈した結果にすぎないというのが判決自身の理解のようであるが（専門用語では「**憲法適合的解釈**」という），これも法律家として，2つの法分野の要請を調和させる1つの解釈論であることは，否定できないだろう。

4　法秩序における憲法解釈の機能

　このように，刑法と憲法の共生の可能性を探った上で，最後に，法解釈という作業の中で憲法解釈という作業の特殊性に，もう一度戻ってみよう。

　前節の緻密な刑法解釈論に対して，この節が提示しようとする疑問は，突き

詰めれば「意思に反した立入りについては，刑法130条の罪が成立する」（→第1節4(1)）ということをも，何らかのやり方でもう少し柔軟に考えることができないか，それだけの事情はないか，ということに尽きる。これは，安定した刑法解釈論の中に不安定を持ち込もうとするものであることは承知の上のことである。人権の解釈論は，常にそういう性(さが)を背負っている。憲法が最高法規であり，その保障する基本的人権が法秩序の最高の価値であることを，疑う法律家は（あまり）いない。ところが，その人権宣言は，第2部第9章第2節でも触れた通り非常に多義的であり，法秩序の外の政治的・経済的・社会的変化に対していわば「開かれて」いる。憲法は，法秩序という堅固な建物の最上階で，外の世界に対して大きく開かれた「窓」の1つとしての役割を担っている。法の解釈を含む法秩序が固定して，外界の変化に十分反応できないおそれがあるとき，他の法分野の解釈にとっての「他者」として憲法解釈が現れ，反省（過ちを認めるということではなく，もう一度考え直すという意味）の契機となることがある。

　この節を読み終わったあなたは，もう一度，第1節も読み直していただきたい。決して，「刑法ではこうだ」というたぐいの議論ではなく，憲法側からの問題提起をも意識しながら，「でもこう考えるべきだ」という議論が脈打っていることを，改めて感じられるはずである。皆さんが，このような分野ごとの考え方の違いと，その間の応酬が理解できたとき，できれば自身でこのような「○法からすればこうではないか，でも●法からすればそれはこうなるし……」という思考が進められるようになったとき，それは，それぞれの分野ごとの法解釈のあり方を，正しく理解できたことを意味するはずである。

（宍戸）

第12章

利息制限法と司法
―― 民法と憲法の視点から ――

第1節 民法の視点から

1 はじめに

　金銭消費貸借契約，いわゆる借金をするための契約は，われわれの社会において重要な契約の1つであるが，この契約には，常に高利貸し規制の問題がつきまとってきた。つまり，高い利息で金銭を貸し付けることで利益をあげる業者の取締りという問題である。借りる者の窮迫に乗じて，常識外の利息で金銭を貸し付けて法外な利益をあげる業者というのは，どの国，どの時代でも，常に批判の対象となってきた。しかし，貸す側からすれば，資産の少ない者に金銭を貸し付ける行為は回収不能のリスクが高く，高い利息を取らなければ割に合わないビジネスである。借りる側にも，多少高利であっても貸付けを受けたいという要請がないわけではない。このように，高利貸しの規制は，規制を強める方向の圧力と緩める方向の圧力を常に受けている。そしてわが国においては，この問題をめぐって立法府と司法府の政治的な綱引きが行われた。この点について以下で見ていきたい。

2 利息制限法1条2項

　わが国の高利貸し規制で中心的役割を果たすのが，利息制限法という法律である。まず，条文を見ておこう。現行の利息制限法1条は，次のような条文になっている。

> （利息の制限）
> 第1条　金銭を目的とする消費貸借における利息の契約は，その利息が次の各号に掲げる場合に応じ当該各号に定める利率により計算した金額を超えるときは，その超過部分について，無効とする。
> 一　元本の額が10万円未満の場合　年2割
> 二　元本の額が10万円以上100万円未満の場合　年1割8分
> 三　元本の額が100万円以上の場合　年1割5分

　しかし，昭和29（1954）年に同法が制定された際には，この条文には第2項があった。以下のような条文である。

> ②　債務者は，前項の超過部分を任意に支払ったときは，同項の規定にかかわらず，その返還を請求することができない。

　この利息制限法1条2項は，後述する平成18（2006）年の改正により撤廃された。しかし，第2項は，それよりずっと以前の昭和40（1965）年代から，最高裁判決が示した解釈により空文化・形骸化していた。平成18年改正は，そのような司法府の解釈を立法府が追認したものである。なぜそのような解釈が行われたのか，そして昭和40年代から平成18年までに，どのようなことが起きたのかを説明していこう（この点について，幾代通＝広中俊雄編『新版注釈民法⑮〔増補版〕』〔有斐閣，1996〕51頁以下参照）。

3　利息制限法の制定（昭和29年）

　昭和29年に現行の利息制限法が制定される前は，明治10（1877）年制定の旧利息制限法が金利の上限を定めていた。この旧利息制限法のもとでは，制限金利を超える貸付けがなされた場合，その超過部分を「裁判上無効」とすると規定されていた（旧利息制限法2条・4条）。この「裁判上無効」の文言をめぐって，2つの解釈が対立した。

　1つは，制限金利を超える貸付けがなされた場合，その超過部分は，裁判上は無効であり弁済を請求できないが，法律上は有効であるから裁判外で弁済を受けることは可能であるという考え方である。つまり超過部分の債務は，強制

力を制限された債務（自然債務という）として存続しているというのである。判例はこの考え方をとっていた。

　もう1つは，制限金利を超える貸付けがなされた場合，その超過部分は裁判上はもちろん法律上も無効であり，したがって裁判外で支払を受けた場合，それは有効な弁済ではないから債権者の不当利得となり，債務者はその返還を請求できるという考え方である。学説は多くがこちらを支持していた。

　昭和29年の利息制限法1条2項は，このような判例と学説の対立に答えを出そうとした条文である。つまり，超過部分について任意に支払った場合，その部分についての契約は「無効」ではあるが「返還を請求することができない」こととし，無効の性質がどのようなものかにかかわらず，結論としては判例の立場を採用することを明らかにしようとしたのである。

4　出資法の制定（昭和29年）とグレーゾーン金利

　ところで，この利息制限法が制定されたのと同じ昭和29年に，「出資の受入れ，預り金及び金利等の取締りに関する法律（出資法）」が制定された。出資法5条は，高金利の処罰について定め，年利109.5%を超えて金銭を貸し付けた者に刑罰を科している。つまり，この金利を超えた貸付けを行うことは完全に禁止されているわけである。仮にそのような貸付けがなされた場合，その金銭消費貸借契約は，私法上は公序良俗違反（民90条）として無効であり，貸付けは不法原因給付（同708条）になるため，債権者は債務者に返還を請求することができない。この場合，利息はもちろん元本も返還請求できなくなる。

　これに対して，利息制限法上の制限金利の上限である年20%（利息1条1号）から，出資法が定める109.5%の間の金利で貸付けが行われると，債権者は債務者に対して，元本および年20%までの利息については支払を請求できる。そして，20%を超える部分については，その部分は無効であるから債権者からは支払を請求できないが，債務者が任意に支払ったときは，債務者が債権者に返還を請求することはできない。

　このように，昭和29年の利息制限法と出資法の制定により，「利息制限法上は違法だが，出資法上は適法」という金利が生じた。この部分は一般にグレー

ゾーン金利と呼ばれ，いわゆる高利貸しと呼ばれる業者は，このグレーゾーンでの貸付けを営業として行っていたのである。このグレーゾーン金利は，後に述べるように多少の変更はあったものの，平成18年まで存続することになる。

しかし，このグレーゾーン金利での貸付けは，数々の問題を引き起こした。貸金業者は，債務者に対して過酷な取立てを行い，陰で（時には違法な手段を使って）支払を強要し，超過部分の金銭を回収したのである。利息制限法1条2項は，債務者が「任意に支払ったとき」でなければ債務者は超過部分の返還を請求できるはずだが，任意でなかったことを証明することは困難なので，支払を受ければこっちのものということになる。

5 超過利息は元本に充当できるか？

そうした背景事情の下で，学説の中に，利息制限法1条2項の効力を弱め，超過利息が債務者によって任意に支払われた場合でも，債務者に有利な解決が導かれるような解釈を提案するものが現れた。その学説とは，利息制限法と民法の解釈を巧妙に組み合わせたもので，次のような論理である。

利息制限法1条1項に定める上限金利を超えた貸付けが行われた場合，その超過部分についての支払は無効となる。では，その部分について実際に支払がなされた場合，その支払は何に対する支払とみるべきか。民法489条（平成29年改正前の民法491条）は，債務者が債務について元本の他利息を支払うべき場合において，その債務の全部を消滅させるのに足りない給付をしたときは，利息の支払の後は元本に充当しなければならない旨を定めている。そうすると，超過利息部分に対してなされた債務者の支払は，まずは元本への支払に充てられる。

この解釈が，どのような意味を持っているか，わかるだろうか。通常お金を貸す側は，元本よりも利息を先に支払ってもらった方が有利である。元本が減らなければ，その後に取れる利息が減らないからである。そうすると利息制限法の上限金利を超えて貸付けを行う債権者は，元本よりも先に超過利息分の支払を受けたい。ところが，上記の解釈は，超過利息分への支払というのは本来無効なものだから，その分の支払はまず元本を減らすために使われるというの

である。

　この解釈（元本充当肯定説）は，はっきりいって多少強引な感もある。利息制限法1条2項を普通に読めば，債務者が超過利息を任意に支払ったときは，その支払は超過利息に対する支払としてなされたものと解するのが自然であろう（元本充当否定説）。実際，最大判昭和37年6月13日（民集16巻7号1340頁）で，前述の元本充当肯定説の解釈をいったんは否定している。

6　元本充当肯定説の採用

　ところがその2年後，最高裁は，判例変更をして上記の元本充当肯定説を採用した。すなわち，最大判昭和39年11月18日（民集18巻9号1868頁）は，債務者が利息，損害金の弁済として支払った制限超過部分については，利息制限法1条1項により無効とされ，その部分の債務は存在しないのだから，その部分に対する支払は弁済の効力を生じないとした上で，「従って，債務者が利息，損害金と指定して支払っても，制限超過部分に対する指定は無意味であり，結局その部分に対する指定がないのと同一であるから，元本が残存するときは，民法491条〔平成29年改正後の489条〕の適用によりこれに充当されるものといわなければならない」と述べ，債務者がどのような意図で支払ったかとも無関係に，超過部分の支払は元本への支払として扱うものとしたのである。

　先に述べたように，この判決は利息制限法1条2項の効力を弱めることになる。ここには，グレーゾーン金利での貸付けを行う貸金業者から，債務者を保護しようとする政策的な意図が見える。この判決では，最高裁裁判官の間でも意見が分かれているが，面白いのは，横田正俊裁判官の反対意見で，次のように述べている。

　「いわゆる悪法は，できるだけ縮小解釈すべきであって拡張解釈すべきでないとの解釈論は，私も，一般論として肯認しないではない。また，多数意見の強調する借主の保護の必要性もよく理解しうるのであるが，法律の解釈にはおのずから限界があるのであって，それ以上のことは，明確な立法をもって解決すべきではないかと考える。」

　利息制限法1条2項は，貸金業者を保護して債務者を害する悪法だが，条文

がある以上やむをえないという理屈である。最高裁の裁判官の中にも，この判決の解釈は政策的すぎると考える人がいたことがわかるだろう。

7　利息制限法1条2項の空文化

　昭和39年最大判は，債務者が上限金利を超えて支払った場合，超過利息部分よりも元本へまず充当せよとするものである。では，元本への充当が済んで，元本がゼロとなって以後に，債務者が任意で支払った金銭については，債務者は返還を請求できるのだろうか。昭和39年最大判が出た時点では，多くの学説は，できないと考えていた。なぜならこれを認めてしまうと，利息制限法1条2項が完全に意味を失ってしまうからである。立法の意義を真っ向から否定するような解釈はいくらなんでもとれないだろうというのが，学説の大半だったのである。

　ところが，最高裁は大方の予測を裏切り，大胆な判決を下した。最大判昭和43年11月13日（民集22巻12号2526頁）は，次のような論理で，債務者は元本充当後に生じた過払い分の金銭について，債権者に返還請求できるとした。

　利息制限法1条2項は，債務者が同法所定の利率を超えて利息・損害金を任意に支払ったときは，その超過部分の返還を請求することができない旨を規定するが，この規定は，金銭を目的とする消費貸借について元本債権の存在することを当然の前提とする。なぜなら，元本債権の存在しないところに利息・損害金の発生の余地はなく，したがって，利息・損害金の超過支払ということもありえないからである。このため，消費貸借上の元本債権が既に弁済によって消滅した場合には，もはや利息・損害金の超過支払ということはありえない。

　つまり，債務者が利息制限法所定の制限を超えて任意に利息・損害金の支払を継続し，その制限超過部分を元本に充当していった場合，計算上元本が完済となった時点以降に支払われた金額は，債務が存在しないのにその弁済として支払われたものとなるのであり，この部分に利息制限法1条2項の適用の余地はないから，民法の規定に従い不当利得の返還を請求することができるというのである。

　この昭和43年最大判によって，利息制限法1条2項は，適用される場面が

存在しない空文となってしまった。このような解釈に対して，当時の民法学者は，それが事実上解釈による立法であることを認めつつ，貸金業者から債務者を保護するという利息制限法の趣旨に合致するとしてこれに賛成するものが多かった。

8　立法の対応

　昭和43年最大判が出されたことにより，貸金業者は，その営業のやり方を見直さざるをえなくなった。そこで，業界内で自主規制のルールを作って過酷な取立てを自粛する代わりに，利息制限法の制限利息以上の利率での貸付けを認めてもらおうという動きが現れた。昭和47（1972）年に議員立法として制定された「貸金業者自主規制助長法」は，そうした目的で作られた法律である（陰で貸金業界の政治的な働きかけがあったといわれている）。

　しかし，経済成長期にあった当時の日本では，貸金業の活動はむしろこのころから活発となり，トラブルも増えていった。その後，昭和50年代に入ると，「サラ金問題」と呼ばれる社会問題が生じる。サラ金とはサラリーマン金融の略称で，一般消費者を対象とした高利の貸付けをこう呼んだ。サラ金業者は消費者に対して，過酷な取立てをすることで知られ，そのために自殺者が出るなどして「サラ金地獄」という言葉まで生み出された。

　こうした状況の中，昭和58（1983）年に「サラ金二法」と呼ばれる立法が行われる。「貸金業の規制等に関する法律」の制定と，出資法の一部改正である（前者は平成18年の改正で正式名称が「貸金業法」に変わっているが，ここでは改正前の法律を表す呼称として，貸金業規制法という名前を使う）。

　まず，出資法の改正により，貸金業者は，40.004％以上の金利で貸付けを行うと罰則を受けるようになった。

　また，貸金業規制法は，文字通り貸金業の規制を行うための法律である。その内容は多岐にわたるが，広告，貸付け，取立てなどの営業行為についてのルールや，貸金業界団体（貸金業協会）に関するルールを定める。いわゆる業法と呼ばれるものである。同法の制定で，前述の貸金業者自主規制助長法は廃止された。

9　貸金業規制法43条のみなし弁済

　貸金業規制法は，業法，つまり基本的には行政法規である。しかし，その43条に，重要な私法上の効果を有する規定がまぎれこんでいる。長い条文だが，次のように始まっている。

> （任意に支払つた場合のみなし弁済）
> 第43条　貸金業者が業として行う金銭を目的とする消費貸借上の利息（利息制限法（昭和29年法律第100号）第3条の規定により利息とみなされるものを含む。）の契約に基づき，債務者が利息として任意に支払つた金銭の額が，同法第1条第1項に定める利息の制限額を超える場合において，その支払が次の各号に該当するときは，当該超過部分の支払は，同項の規定にかかわらず，有効な利息の債務の弁済とみなす。
> 一　……（以下略）

　要するに，利息制限法1条1項の金利を超える貸付けに対して，債務者が任意に金銭を支払った場合について，一定の要件を満たす支払については，「有効な利息の債務の弁済とみなす」としたのである。一定の要件とは，貸金業規制法が貸金業者に貸す，貸付けの際の書面の交付や，支払を受けた際の受取証書の交付のことである。つまり，貸金業規制法の規制をきちんと守って貸付けをしている場合には，超過利息の支払を，利息に充当できるということを定めているのである。

　この結果，貸金業者は，利息制限法1条1項の金利を超えて，出資法が定める40.004％までは利息を受け取れることになる。貸金業規制法により，貸金業者は，グレーゾーン金利での貸付けを公然と行うことが可能になったわけである。

　この貸金業規制法43条が，前述の昭和39年最大判，昭和43年最大判が採用した，元本充当肯定説への対抗策として立法されていることは明らかだろう。司法府が空文化した利息制限法1条2項に代わる，新たな規定を立法府が置いたのである。

10　貸金業規制法43条の限定解釈

　しかし，平成に入ってからも，立法と司法の綱引きは続いた。次に問題となったのは，貸金業規制法43条のみなし弁済の規定の解釈である。

　まず，最高裁は，みなし弁済の有効要件である，貸金業規制法上の書面交付義務について厳格な解釈を行った。たとえば，貸金業規制法18条では，貸金業者が債務者から返済を受けた場合，所定の事項を記載した受取証書を直ちに交付する義務を課していた。しかし債務者が返済を銀行振込みで行う場合，貸金業者は受取証書を直接交付できない。そこである業者が，振込用紙と一体となった請求書に所定事項をあらかじめ記載して債務者に送付して，その送付をもって同条の書面交付として扱っていた。しかし最判平成16年2月20日（民集58巻2号380頁）は，このような事前送付では，18条の書面交付とはいえないとした。同条の書面交付をしていないということは，43条のみなし弁済規定の適用がなくなるから，前述の利息制限法に関する判例法理が復活する。つまり超過利息部分の支払は，元本に充当されることになり，貸金業者は超過利息の支払を受けられないばかりか，過払部分がある場合には不当利得として返還しなければいけなくなる。

11　貸金業規制法43条の空文化

　この平成16年最判に代表されるように，このころから最高裁は，貸金業規制法43条のみなし弁済の要件を，きわめて厳格に解することで，実際上この条文を空文化しようとし始めた。極めつけは，平成18年1月13日の最高裁判決（民集60巻1号1頁）である。

　この判決では，貸金業規制法43条1項の「債務者が利息として任意に支払った金銭」という文言に注目している。この部分について，最高裁は，「債務者が，事実上にせよ強制を受けて利息の制限額を超える額の金銭の支払をした場合には，制限超過部分を自己の自由な意思によって支払ったものということはできず，法43条1項の規定の適用要件を欠く」と述べた。支払を強制したらみなし弁済を認めませんということである。その上で，最高裁は，この事件

で問題となった金銭消費貸借契約には「元金又は利息の支払いを遅滞したとき（中略）は催告の手続きを要せずして期限の利益を失い直ちに元利金を一時に支払います」という文言が入っており，これが債務者に支払を強制していることになると指摘し，みなし弁済を認めなかったのである。

　この平成18年最判で問題とされた契約文言は，期限の利益喪失特約と呼ばれるもので，要するに債務者が返済を怠った場合に，将来の返済期限を繰り上げるということを定めている。一般の金銭消費貸借において，この種の特約が結ばれないということはほとんど考えられない。ところが平成18年最判は，期限の利益喪失特約のある上限金利を超えた金銭消費貸借契約は，超過利息を支払わないと期限の利益を喪失するぞ，という強制を含むものだから，超過利息の支払についてみなし弁済が認められないというのである。

　こうなってくると，みなし弁済が認められる余地は事実上なくなる。利息制限法1条2項に続き，貸金業規制法43条についても，司法府が事実上空文化してしまったのである。

12　商工ローン問題

　しかし，平成18年最判が出るころには，既にこの問題は過去のものとなりつつあった。というのは，冒頭で述べたように，同年に大規模な法改正が行われたからである。

　この平成16（2004）年から平成18（2006）年の一連の最高裁判決が出された背景を説明しておこう。平成に入ってから，「商工ローン問題」と呼ばれる社会問題が顕在化していた。商工ローンとは，中小企業を対象に運転資金や設備投資のための資金提供を行うローンである。大手銀行からは融資を受けられないような中小企業に，貸金業者が高利で融資を行うわけである。その貸付けは，高利であるのに加え，ときに債務者の返済能力を超えるような過剰な額を無責任に貸し付けた上で，本人あるいは連帯保証人に返済を迫るなどの回収方法が批判を浴びていた。なかには，腎臓を売って返済しろとか，生命保険に入って自殺しろと債務者に迫る業者まで現れた。

　平成16年から始まる最高裁による貸金業規制法43条1項の空文化は，この

商工ローン問題への対応としてなされたものである。そしてこの商工ローン問題に対しては，立法府も比較的素早く対応した。平成15年には貸金業規制法が改正され貸金業者に対する取締りが厳しくなるとともに，出資法が改正されて29.2%以上の金利での貸付けに罰則が科されるようになった（貸付けを業とする者のみ）。さらに，その3年後の平成18年に，貸金業規制法が全面改正され，貸金業法と名前を改めるとともに，段階的な法施行で徐々に規制を厳しくしていった結果，みなし弁済規定が撤廃され，冒頭で述べたように利息制限法1条2項が撤廃され，さらに出資法も改正され，貸金業者は年20%を超えて金銭を貸し付けると罰則を受けることになった。

つまり，貸金業者が年2割を超える利息の金銭消費貸借契約を締結すると，利息制限法により私法上無効となるだけでなく，出資法で罰則を受けるということになったのである。なお，利息制限法には違反するが出資法に違反しないグレーゾーン金利は，元本額10万円以上の貸付けの場合について残ったが，みなし弁済規定の撤廃により有効な弁済とはならず，かえって行政処分の対象となる。これによって，立法府と司法府の長年の綱引きには一応の決着がつけられることになったのである。

上記の紹介でわかるように，最高裁，および当時の民法学者の多数は，利息制限法1条2項，貸金業規制法43条の条文を空文化する解釈を支持した。そうした，立法の意図を無視したといわれても仕方のない解釈の背景には，貸金業をめぐるトラブルという社会問題が存在したことがわかるだろう。

13　その他の問題

最後に，利息制限法をめぐるその他の解釈論，立法論上の問題点を指摘しておこう。

近時問題となったのが，特定融資枠契約（コミットメント・ライン契約）という融資形態である。これは，銀行が企業などに，一定期間，一定額まで，審査なしに融資を行うという内容の契約であり，企業の迅速な資金調達を可能にするために利用される。銀行は，融資の見返りとして通常の利息を受け取るが，そのほかにこのような融資の「枠」を設定することの見返りとして定額の手数

料(コミットメント・フィー)を企業から受け取る。

ところが,次のような問題が生じた。この特定融資枠契約における手数料は,融資に際して銀行が受け取る金銭だから,利息とみなされる(利息3条参照)。そうすると,この手数料は,実際に融資をするかどうかにかかわらず銀行が受け取るものだから,実際の融資額が少ないと利息制限法の制限を超える利息を受け取っていることになりかねない。たとえば,ある企業に対して,10億円の融資枠を手数料3000万円で設定することを銀行が約束したとして,企業が1億円しか融資を受けなかった場合,手数料だけで30%の利息を銀行が受け取ったことになり,利息制限法に違反してしまう。しかし,これを利息制限法違反として無効にしては,特定融資枠契約という融資形態そのものが否定されてしまう。

そこで,平成11(1999)年に「特定融資枠契約に関する法律」が立法され,特定融資枠契約には利息制限法,および出資法の規定の適用がないものとしている。これによって,銀行が安心して特定融資枠契約を締結できるようになり,企業の迅速な資金調達を可能としたのである。

14 おわりに

この,特定融資枠契約に関する問題は,利息制限法が一律に利息の制限を課していることから生じている。もともと,利息制限法が制定された動機は,高利貸し規制である。しかし,いままでの説明でもわかるように,実際に問題なのは,高利の貸付けそのものというより,資産のない個人への過剰な融資や,過酷な取立てである。そうであれば,銀行が大企業に融資をする際に,高い利息を取ることまで規制する必要があるのかという話になってくる。

経済学者の中には,利息制限法の金利規制自体を廃止せよという意見がある。本来,契約は自由に行われるべきものであって(契約の自由),契約内容に規制をすること自体が市場をおかしくする。具体的には,高い利率での貸付けを制限すれば,貸し渋りが起こり,さらにはヤミ金融が横行するというのである。

民法学者の多くはそこまでいわないが,利息制限法による規制のあり方には,立法,解釈の両面で,昔から見直しが提言されている。たとえば,金利規制を

消費者信用の分野に限って立法するべきであるとか，民法90条の公序良俗違反の解釈をより柔軟に行い，個人の経済的窮境に付け込んで行われる高利の貸付けを暴利行為として積極的に無効にするべきであるといった意見である。

(山下)

第2節　憲法の視点から

1　権力分立と法解釈の限界

　前章の最後に，憲法解釈が法秩序にとって変化に開かれた「窓」の役割を果たしていると述べたが，およそ法解釈一般に，制定法を変化に適応させる機能があることは，間違いない。前節で山下さんが丁寧に解説した，利息の制限に関する最高裁判例の展開は，まさにそうした法解釈の機能を，最も鮮やかに示す例として知られる。平成18年改正前利息制限法における元本充当肯定説の採用（→第1節6）は，まさにそうした観点から理解できるだろう。

　しかし，ここではあえて，昭和39年最大判の横田正俊裁判官反対意見のいう，「法律の解釈にはおのずから限界があるのであって，それ以上のことは，明確な立法をもって解決すべきではないか」という問題点を，改めて取り上げてみたい。この指摘は，裁判所による法解釈が，**権力分立**に関わるものであることを，示している。

　憲法は，国会，内閣，裁判所という3つの主要な国家機関を創設し，それぞれに立法，行政，司法という国家作用を与えている。憲法学の標準的な見解によると，立法とは法規（国民の権利義務に関わる一般的・抽象的な規範）を定立する作用であり，司法とは具体的な争訟（法律上の争訟）において，法を宣言し適用する作用である。この法の宣言において，法の解釈は不可欠な作用を占めている。換言すれば，**裁判所の法解釈**とは，あくまで個別具体的な事案に則して示されるものであり，その具体的な事案を超えて判例を過度に一般化してはならない（→第1部第6章3）。この権力分立のしくみは，国民主権および代表民主制とも密接に結びついている。つまり一般的・基本的な政策は，「全国民を代表する選挙された議員」（憲43条）から構成される国会によって，法律という形式に変換された上で，実現される。これに対して「すべて裁判官は，その良心に従ひ独立してその職権を行ひ，この憲法及び法律にのみ拘束される」（76条3項）とされ，任期と報酬が保障され（79条・80条），行政機関による懲

戒処分が禁止される（78条）等，行政官とは異なる強い身分保障を享受している。国民―国会―内閣―行政各部（府省庁）という責任追及のラインから，裁判所は独立しているのである。そうであるだけに，裁判官が一般的な政策形成を行うことは，民主主義の観点から問題がある，と考えられている。

しかし，利息制限をめぐる一連の判例の中で，最高裁は法解釈の名の下で一般的な政策形成を行い，とりわけ貸金業規制法43条については比較的明瞭な立法者意思をあえて空文化させて（→第1節10），前節の言い方を借りれば「立法府と司法府の長年の綱引き」（→第1節12）において勝利した，といえる。しかも，そのことは，民法学者を含む法律家全体の中では，好意的に受け止められている。それはなぜなのだろうか。

2　法解釈による政策形成が許容される場合

1つの答え方は，権力分立にやかましい憲法学（ただし，第11章第2節で見たように，憲法の解釈に限っては，裁判所に柔軟な解釈を求める傾向がある）や罪刑法定主義に厳しい刑法と異なり，民法を含む私法の分野では，解釈の限界が比較的柔軟に捉えられている，というものであろう。しかし，これは問いをもって答えとするようなものである。むしろ民法こそ法学の女王と呼ばれ，法解釈の基本的なトレーニングは民法の分野でなされる。その民法で，なぜこのような解釈態度が許容されるのかが，真の問題である。その答えは，民法学者ではない私の任務ではなく，むしろ本書で山下さんが述べたところに潜んでいると思うが，あえて憲法の観点から見ると，次のような事情があるのではなかろうか。

先に挙げた，権力分立のイメージは全体としては正しいものの，誇張することは適切ではない（→第1部第4章第1節）。権力分立も**法の支配**に奉仕し，その法とは「正しい」法でなければならない。「正しい」法を実現するには，通常，法の定立と法の解釈・適用を分離することが適切だが，必ずしもそうではない場合もある。特に立法過程が特定の圧力団体や利益の「とりこ」になっていて，公共の利益を明らかに実現できない場合，あるいは社会の変化に明らかに対応できない場合，裁判所が個別具体の事案に則して実質的な「正しさ」を一定の範囲で追求することは，むしろ裁判所にふさわしい任務だと考えられる。

そうだとすれば，その個別具体の事案の集積の延長線上として，一般的な政策形成も，例外的に許容されるのではなかろうか。利息制限の事例は，第1節8で説明されている通り，まさにそのような事例と考えられている。

実は，このような「社会問題」に対して，裁判所が先導的な役割を果たした例は少なくない。たとえば，年少者が事故で死亡した場合の逸失利益（生きていれば得られたであろう利益）の算定の基礎には，従来，賃金センサスの男女別平均賃金が用いられてきた。ところがこの算定方法によると，現段階の社会における男女間の賃金格差が，逸失利益に反映されてしまうことになる。これに対して，東京高裁は，性別は年少者の1つの属性にすぎないから，「男女を併せた全労働者の平均賃金を用いるのが合理的」との立場を示し（東京高判平成13・8・20判時1757号38頁），同様の判断が下級審で積み重ねられ，現在では実務上この方式が固まったとされている。このように，その内在的論理とは別に，裁判所の法解釈がどのような政策的機能をもつのかという視点は，とりわけ社会問題について常に心に留めておいた方がよい。

3 違憲審査権と私法，法解釈の担い手

先ほど触れた，法解釈の限界と権力分立の関係は，憲法の分野では特に違憲審査権との関係で議論されてきた。裁判所が憲法解釈によって法律を違憲とすることの正当性やその限界が，これまで激しく議論されてきた。しかし，第10章第1節7で合憲限定解釈の限界についても触れたが，法解釈一般に同様の問題は潜んでいるのである。

実は，違憲審査権についても，私法の一般的理解が裁判所の憲法解釈の正当性を担保する場合がある，という考えが，最近説かれている。たとえば森林法事件判決（最大判昭和62・4・22民集41巻3号408頁）は，森林について共有物分割請求権を否定する規定を違憲としたが，その説示の中で，この法律の規定が単独所有という私法の原則に反するものであることを強調している。また郵便法事件判決（最大判平成14・9・11民集56巻7号1439頁）は，郵便業務従事者の重過失による郵便物の亡失等について国の責任を免除・制限する規定を違憲としたが，これも運送事業一般における重過失責任の考え方を基準としたも

のとされている。

　憲法学の説く二重の基準論からすれば，立法裁量が認められ規制の合憲性を緩やかに判断すべきこれらの分野で，こうした違憲判決が出るのはむしろ奇妙な印象を与える。そこで，裁判所が憲法解釈の「ベースライン」として私法における確立した考え方に依拠できたからこそ，これらの判決が導かれたという説明もあるくらいである（長谷部255頁，312-313頁）。私法に精通した裁判官によって違憲審査権が担われているからこそ，その行使が私法の解釈のような色彩を帯びる（その反面，憲法学者の憲法解釈がなかなか通じにくい）のだとすれば，これもまた法解釈のあり方を考える上で，なかなか興味深い事情といえよう。

　　　　　　　　　　　　　　　　　　　　　　　　　　　　　　　（宍戸）

事項索引

あ 行

- あてはめ……………………………………3
- 違憲審査基準………………………………169
- 違憲審査権………………………156, 225
- 1次ルール…………………………………10
- 違法性阻却………………………………197
- 違法阻却事由………………………………40
- 営業の自由…………………………………48

か 行

- ガイドライン・ソフトロー………………66
- 概念法学……………………………………53
- 外務省秘密電文漏えい事件………128, 166
- 学　説…………………………………70, 95
- 拡張解釈……………………………26, 36, 214
- 貸金業法…………………………………216
- 過剰防衛…………………………………119
- ──の減免根拠…………………………120
- 過度の広汎性……………………………180, 185
- 可罰的違法性……………………………197, 207
- 慣　習………………………………63, 65, 71
- 官　報………………………………………62
- 議院内閣制………………………………143
- 規　則………………………………………62
- 基本的人権…………………………47, 154
- 行政控除説………………………………143
- グレーゾーン金利……………212-214, 217
- 契約（法律行為）…………………………65
- 契約解釈……………………………………31
- 憲　法…………………………47, 62, 139
- ──の番人…………………………………152
- 憲法習律…………………………………153
- 憲法適合的解釈…………………………208
- 権利外観法理……………81-83, 85, 87, 89
- 権力分立…………………………143, 223
- 権利濫用…………………………………162
- 効　果………………………………………17

さ 行

- 公共の福祉………………………160, 204
- 合憲限定解釈……………………182, 185
- 公序良俗…………………………………162
- 構成要件……………………………………40
- 公　平………………………………………6
- 後法は前法を破る…………………………64
- 国際司法裁判所……………………………70
- 国際司法裁判所規程………………………70
- 告　示………………………………………63
- 国事行為…………………………………140
- 国民主権…………………………………223
- 罪刑法定主義……………35, 130, 174, 224
- 最高裁判所…………………………………67
- 最高法規…………………………………156
- 裁判外の紛争処理手続……………………33
- 裁判官…………………………………49, 67
- 裁判規範…………………………………154
- 裁判所………………………………………67
- 錯　誤………………………………98, 102, 105
- 札幌税関訴訟最高裁判決………………188
- 事案に即した利益衡量……………58, 165
- 事実の認定…………………………………4
- 社会あるところに法あり…………………1
- 衆議院の解散……………………………139
- ──解散権の限界………………………153
- ──の実質的決定権の所在……………140
- 縮小解釈……………………………27, 38, 214
- 出資法……………………………………212
- 小説の解釈…………………………………20
- 小前提………………………………………4
- 条文を見つける……………………………14
- 条　約………………………………………63
- 条　理…………………………63, 71, 131
- 条　例………………………………………62
- 人権の限界…………………………154, 157
- 制　裁………………………………………2

責任阻却事由 …………………………40
占　有 ………………………………114

た 行

体系的解釈 ……………………22, 74, 145
大前提 ………………………………4
立川テント村事件 ……………………191
通謀虚偽表示（民法94条2項）……54, 81
動機の錯誤 ………………………95-107
統治機構 ……………………………47, 140
統治行為論 …………………………152
富井政章 ……………………………99

な 行

内閣の助言と承認 ……………………140
二重の基準論 ………………168, 204, 226
2次ルール …………………………10, 67

は 行

漠然性 ………………………………180
犯罪構成要件の明確性 ………………175
犯罪論の体系 ………………………40
反対解釈 ……………………26, 55, 144
パンデクテン方式 ………………18, 19, 30
判　例 ……………………………67, 95, 154
比較衡量 ……………………………164
表現内容中立規制 …………………205
表現の自由 ……………154, 175, 187, 202
比例原則 ……………………………168
広島市暴走族追放条例事件 ………174, 205
福岡県青少年保護育成条例事件 ……185
不真正不作為犯 ……………………130
物権的請求権 ………………………74, 76, 77
物権と債権の区別 …………………75
不法行為 ……………………………157
紛　争 ………………………………2
文理解釈 ……………………………26
法解釈の正しさ ……………………52
法　源 ………………………………62, 68
法的三段論法 ………………………3

法の解釈 ……………………………6
法の支配 ……………………………224
法の適用 ……………………………3
法　律 ………………………………62
法律家 ………………………………9
傍　論 ………………………………69
保護法益 ……………………………25

ま 行

みなし弁済 ………………………217-219
明白かつ現在の危険 ………………205
名誉毀損 ……………………………157
民法改正（平成29年）………………95
命　令 ………………………………62
目的・手段図式 ……………………168
目的論的解釈 ………………………8, 24

や 行

有　責 ………………………………40
良い法解釈論 ………………………59
要　件 ………………………………17
要素の錯誤 …………………………99

ら・わ 行

利益衡量 ……………………………54, 83
利益衡量論 …………………………50
利息制限法 ………………………210-221
立案担当者 …………………………23
立法事実 ……………………………177
立法者意思 …………………………22, 224
量的過剰防衛 ………………………119, 120
類型的比較衡量 ……………………165
類　推 ………………………………30
類推解釈の禁止 ……………………34
類推適用 …………………31, 32, 81, 84
六　法 ………………………………14
わいせつ文書頒布 …………………157
我妻栄 ………………………………101

法解釈入門［第2版］
──「法的」に考えるための第一歩
An Introduction to Legal Interpretation

2013 年 12 月 20 日	初　版第 1 刷発行
2018 年 3 月 20 日	補訂版第 1 刷発行
2020 年 12 月 25 日	第 2 版第 1 刷発行
2021 年 11 月 10 日	第 2 版第 2 刷発行

著者　山　下　純　司
　　　島　田　聡一郎
　　　宍　戸　常　寿

発行者　江　草　貞　治

郵便番号 101-0051
東京都千代田区神田神保町 2-17
発行所　株式会社　有　斐　閣
https://www.yuhikaku.co.jp/

印刷・株式会社精興社／製本・牧製本印刷株式会社
Ⓒ 2020, Yoshikazu Yamashita, Taro Shimada, George Shishido.
Printed in Japan
落丁・乱丁はお取替えいたします。
★定価はカバーに表示してあります。
ISBN 978-4-641-12624-4

JCOPY　本書の無断複写（コピー）は，著作権法上での例外を除き，禁じられています。複写される場合は，そのつど事前に（一社）出版者著作権管理機構（電話03-5244-5088，FAX03-5244-5089，e-mail：info@jcopy.or.jp）の許諾を得てください。

本書のコピー,スキャン,デジタル化等の無断複製は著作権法上での例外を除き禁じられています。本書を代行業者等の第三者に依頼してスキャンやデジタル化することは,たとえ個人や家庭内での利用でも著作権法違反です。